S180454 718893 1 Ex 8/08
Peides, Simone
PREVENIR ET GUERIR LE MAL DE DOS 640118 AP
369905040 9782738120205 40 12.50$

POCHES PRATIQUE
ODILE JACOB

D0766725

PRÉVENIR ET SOIGNER LE MAL DE DOS

DU MÊME AUTEUR

Handicap, des mots pour le dire, des idées pour agir (avec M. Jouvencel), Paris, Connaissances et Savoir Éditions, 2005.

Personnes handicapées, Paris, PUF, « Que sais-je ? », 2006.

PR CLAUDE HAMONET

PRÉVENIR ET SOIGNER LE MAL DE DOS

Un autre regard

Illustrations de Sophie Rochard

© ODILE JACOB, 2007, OCTOBRE 2007
15, RUE SOUFFLOT, 75005 PARIS

www.odilejacob.fr

ISBN : 978-2-7381-2020-5

ISSN : 1767-2384

Le Code de la propriété intellectuelle n'autorisant, aux termes de l'article L. 122-5, 2° et 3° a, d'une part, que les « copies ou reproductions strictement réservées à l'usage privé du copiste et non destinées à une utilisation collective » et, d'autre part, que les analyses et les courtes citations dans un but d'exemple et d'illustration, « toute représentation ou reproduction intégrale ou partielle faite sans le consentement de l'auteur ou de ses ayants droit ou ayants cause est illicite » (art. L. 122-4). Cette représentation ou reproduction, par quelque procédé que ce soit, constituerait donc une contrefaçon sanctionnée par les articles L. 335-2 et suivants du Code de la propriété intellectuelle.

Toute maladie est un événement qui implique des échanges entre trois partenaires : le malade, son entourage, son médecin. La guérison et le mieux-être dépendent de la nature de ces échanges et de leur renforcement mutuel. On peut vivre seul sa maladie. Mais, pour réunir toutes les chances de guérir, mieux vaut être trois partenaires à la combattre.

Chaque titre de cette collection se propose d'informer, aussi complètement et clairement que possible, sur une affection. Comprendre pour pouvoir dialoguer : les rapports entre le médecin, le malade, sa famille ou ses proches en seront facilités ; leur alliance et donc la lutte contre la maladie, renforcées.

C'est aussi un guide pratique, qui fournit des renseignements sur les aides existantes, les aspects administratifs, les adresses à connaître, en bref tout ce qui peut être utile au malade et à ceux qui l'entourent.

É. Z.

À tous ceux qui souffrent de leur dos,
pour qu'ils retrouvent l'espoir et cette qualité de l'existence
qui donne du goût à la vie.
C'est possible.

Sommaire

3 - Les idées fausses sur le mal de dos

4 - Évaluer votre mal de dos

Deuxième partie
PRÉVENIR ET TRAITER

5 - Assis, debout, couché

6 - Le dos au quotidien

7 - Sept exercices pour un dos efficace et sans douleur

8 - Traiter la douleur

Introduction

Je commence à en avoir plein le dos[1].

Jack London

Mais qu'est-ce qu'on a fait au dos des Français pour qu'il leur fasse si mal ? Au XXe siècle le mal de dos a été qualifié de *mal du siècle.* Il a été au moins multiplié par trois au cours des trente dernières années et est actuellement la première cause d'exclusion du travail en France pour les moins de 45 ans. Pourtant, à l'époque des trente-cinq heures et de l'ordinateur, les conditions de travail sont très loin d'être aussi pénibles physiquement qu'au temps de Zola et l'électroménager a libéré de bien des « esclavages » au quotidien !

Que nous réserve le XXIe siècle ? Existe-t-il une fatalité qui nous condamne à rencontrer, à un moment ou à un autre de notre existence, ces douleurs souvent particulièrement intenses ? Doit-on accepter de *vivre avec* comme on le propose trop souvent ?

1. *The People of the Abyss,* New York, Macmillan, 1903.

Il existe beaucoup d'ouvrages sur le dos, destinés au grand public. Ils reprennent généralement les mêmes discours sur les causes et les traitements, et donnent un rôle très important aux images de l'état vertébral reproduites sur les radiographies et maintenant sur les scanners et les IRM. Ce qui a pu faire dire que l'on soigne l'image et non pas le patient !

Cette approche très médicalisée fait peur, d'autant qu'elle est peu efficace. On comprend alors que ceux qui souffrent essayent de se traiter par d'autres moyens fondés sur l'empirisme le plus total. Ils connaissent un succès qui est paradoxal à une époque où certaines écoles médicales aux États-Unis préconisent d'appliquer, de façon rigoureuse, une médecine fondée uniquement et strictement sur les preuves obtenues selon des critères scientifiques rigoureux.

Bien des préjugés pessimistes qui sont du domaine de la croyance populaire plutôt que de la médecine et du bon sens sont énoncés et à force d'être répétés finissent par être crus contribuant à entretenir et à propager le mal de dos. Ne peut-on avoir ici, comme dans d'autres domaines de la médecine, une attitude scientifique, raisonnée et raisonnable, qui trouve son efficacité à partir de moyens médicaux efficaces existants ou à inventer ?

C'est ce défi que nous avons voulu relever en nous engageant, depuis plus de trente ans, dans une démarche positive de recherche avec et pour ceux qui ont mal au dos, en les observant, en les écoutant et en les conseillant dans nos *écoles du dos.* Nous avons accueilli depuis trente ans plus de quatre mille personnes parfois désespérées de voir leur vie bouleversée ou gâchée par un mal de dos qu'elles considéraient, à tort, comme *incurable.* Ce sont ces personnes qui nous ont appris ce qu'est le mal de dos. C'est cette expérience concrète, vécue au quotidien et validée que nous relatons ici.

Par mal de dos, nous entendons la survenue de douleurs localisées entre le bord supérieur des épaules en haut et le pli des fesses en bas. Elles peuvent s'étendre jusqu'aux genoux et même au-dessous, sans qu'il s'agisse nécessairement d'une souffrance du nerf sciatique ou du nerf crural.

Devant les résultats insatisfaisants des méthodes usuellement utilisées pour traiter le mal de dos, nous avons choisi une autre approche. Le patient ne peut être réduit à un empilement de vertèbres plus ou moins bien alignées et plus ou moins stables. Nous voulons faire la démarche d'un nouveau dialogue entre le médecin et le patient. Le consultant ne vient donc pas seulement chercher auprès du médecin *le savoir* mais plutôt *le savoir-faire,* l'écoute, les conseils pour diriger les soins et les mesures à prendre sur le plan de l'adaptation sociale (vie quotidienne, sport, travail). Le patient est encombré par toutes les informations en sa possession, par le net et les médias en particulier. Il ne sait pas comment les utiliser, surtout si elles sont contradictoires, ce qui est fréquent dans le cas du mal de dos. Cela se matérialise par l'arrivée à la consultation d'un volumineux paquet de clichés d'imagerie médicale. En pratique, Il faut toujours deux chaises pour accueillir le consultant dans notre bureau : l'une pour le patient et son dos, l'autre pour les images de son dos !

Ce consultant attend de son médecin, une écoute attentive et compréhensive. Les souffrances de cette région du corps sont souvent très pénibles et les médecins doivent en être convaincus. Ils doivent donc sortir de leur réserve, garder une approche clinique et ne pas *instrumentaliser* inutilement leurs consultants avec des examens d'imagerie et de laboratoire. Un examen clinique simple permet le diagnostic de la lésion responsable dans la très grande majorité des cas. Il constitue le premier pas vers le diagnostic exact et la guérison. Le médecin qui touche le patient à l'endroit de ses douleurs crée un contact direct et rassurant qui permet un échange constructif pour la suite. Il a, au sens propre, « mis le doigt sur son mal ». La démarche thérapeutique peut alors être entreprise dans le respect et la compréhension de la souffrance. La médecine physique et de réadaptation, mal connue du grand public permet une prise en charge globale, médicale, fonctionnelle, subjective et sociale pour la personne qui se trouve en situation de handicap.

Première partie

Connaître son dos

1

La colonne vertébrale

Tout ce qui est simple est faux et tout ce qui ne l'est pas est inutilisable.

Paul VALÉRY

Notre ancêtre Lucy et la verticalité de l'homme

C'est en se mettant debout que l'homme s'est mis à penser et à parler. C'est dire l'importance de la colonne vertébrale et sa signification anthropologique et culturelle. Lucy est notre ancêtre la plus lointaine, elle a trois millions d'années et elle est la première à se tenir debout. Elle doit son nom à la chanson des Beatles *Lucy*, que les anthropologues écoutaient en découvrant ses ossements dans les conditions climatiques difficiles de la vallée de l'Omo, en Éthiopie.

L'homme est ainsi le seul animal qui ait réussi à vivre debout. Cette aventure a imposé à notre anatomie des contraintes et notamment l'installation de courbures de la colonne vertébrale qui ont permis de nous donner une taille compatible avec une bonne utilisation des membres supérieurs tout en assurant une grande résistance aux efforts et aux contraintes. La verticalité a permis le développement du cerveau, comme l'a bien montré l'anthropologue français André Leroi-Gourhan. La libération des mains, véritables *dentiers de l'homme* pour Jacques Ruffié a très vite suppléé les mâchoires pour briser les aliments. Dans le même temps s'est réalisée une remarquable synchronisation entre la main et le cerveau, « La main est le cerveau de l'homme », disait Aristote. La position du larynx a favorisé la constitution de la voix humaine. Enfin, étant vertical, l'*Homo erectus* avait un champ visuel plus étendu et était prêt à explorer et à dominer le monde en devenant progressivement *sapiens.*

Les courbures de la colonne

La colonne vertébrale est constituée de l'empilement de 24 vertèbres de l'occiput au sacrum. Elle est l'axe de notre corps et apparaît comme un ensemble sinueux dont toutes les parties sont interdépendantes les unes des autres.

Les courbures multiplient par dix l'efficacité mécanique et la résistance aux contraintes. Elles sont au nombre de quatre (*figure 1a*) :

>> le cou est incurvé vers l'arrière, c'est la lordose cervicale ;

>> le dos est incurvé vers l'avant, c'est la cyphose dorsale ;

>> la région lombaire, plus connue dans le langage populaire sous le nom de « courbure des reins » est incurvée vers l'arrière, c'est la lordose lombaire ;

>> les vertèbres sacrées sont soudées et forment un seul os, le sacrum, incurvé vers l'avant. Il est uni à l'os iliaque par l'articulation sacro-iliaque pour former le bassin, ce qui explique le fait que certaines douleurs du dos soient localisées au niveau du bassin.

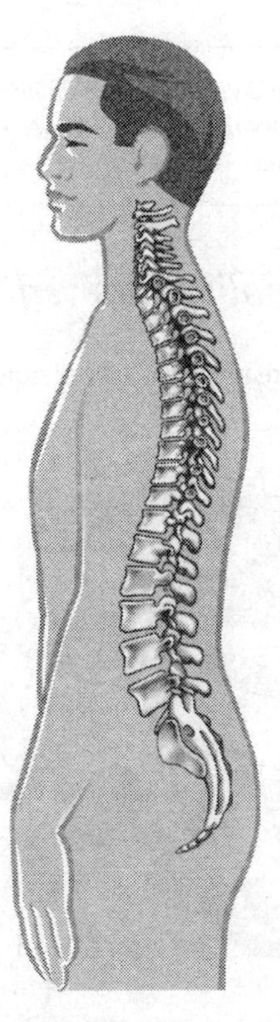

Figure 1a : Les courbures du dos : lordose cervicale, cyphose dorsale, lordose lombaire, sacrum, coccyx

La meilleure position pour utiliser son rachis de façon « économique » et sans provoquer de douleur est la position moyenne qui respecte les quatre courbures.

Toute modification de la courbure à un niveau donné aura des répercussions sur les niveaux voisins avec éventuellement une gêne ou une douleur à distance.

L'équilibre des vertèbres

Chaque vertèbre prend appui sur les suivantes à trois niveaux (*figure 1 b*) :

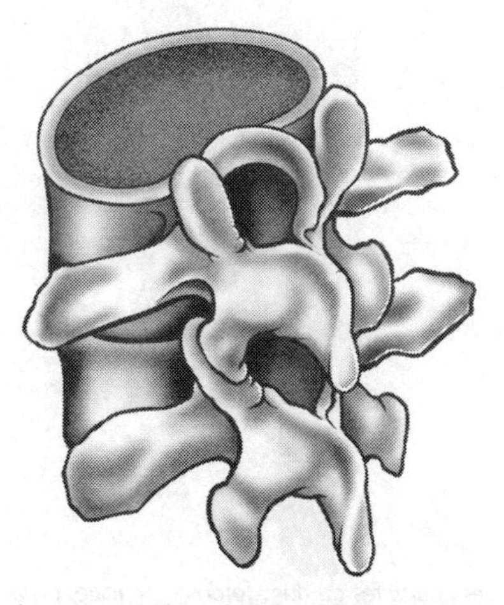

Figure 1b : Deux vertèbres de 3/4 articulées. Corps vertébral, articulation postérieure intervertébrale

>> en avant sur le corps vertébral : ce contact se fait au moyen du disque intervertébral ;

>> en arrière, de chaque côté par les deux articulations postérieures intervertébrales qui relient chaque vertèbre avec sa voisine du dessus et du dessous.

Les charges se répartissent harmonieusement sur ces « trois pieds ». Si elles sont exercées dans l'axe de la colonne vertébrale, sur la tête, « à l'africaine » ou sur les épaules, elles sont mieux acceptées par le dos.

Ces articulations sont disposées de telle sorte que le glissement d'une vertèbre sur une autre est impossible. Les vertèbres ne se déplacent pas lors d'un « faux mouvement » contrairement à une idée reçue. Un déplacement ne peut se produire que s'il y a une fracture ou une hypermobilité pathologique des ligaments (syndrome d'Ehlers-Danlos par exemple). Ce sont des cas exceptionnels.

À retenir

— Respecter les courbures de la colonne vertébrale permet d'éviter les douleurs du dos et réduit par dix les contraintes subies.

— Équilibrer les charges de chaque côté de la colonne neutralise les tensions.

— Porter toujours une charge le plus près possible du corps.

2

Pourquoi souffre-t-on ?

► Ce ne sont pas les os mais les muscles et les ligaments attachant les vertèbres entre elles qui sont en cause.

► Un nombre important de douleurs du dos ne sont pas localisées dans la région lombaire ou dorsale mais, plus bas, au niveau du bassin.

► C'est par l'examen clinique que l'on fait le diagnostic précis du mal de dos et non pas sur les radios.

Les douleurs

Le médecin doit écouter, examiner et comprendre la personne qui souffre du dos et dès la première consultation envisager une collaboration avec elle vers la guérison qui est possible dans la très grande majorité des cas. C'est vous qui apportez la clé du diagnostic d'un doigt plus ou moins hésitant en désignant le lieu de vos souffrances.

J'en ai froid dans le dos

Le dos est à la fois une zone de douleur et de plaisir. Les localisations des zones douloureuses se superposent à celles des zones érogènes. Il y aurait donc connivence entre le dos amoureux et le dos douloureux ! Il est le siège des frissons lorsqu'on regarde un thriller et du *froid dans le dos* lors d'une grande peur.

Il est très richement innervé en récepteurs de sensations implantés dans les muscles et les ligaments qui relient les os de la colonne vertébrale et du bassin. Ces récepteurs nous informent sur la position du dos, sur les mouvements effectués et sur les contraintes supportées.

Les ligaments

Leurs insertions sont très souvent le siège des douleurs.

► *Les ligaments interépineux* relient les articulations postérieures intervertébrales. On les sent très bien sous la peau dans les espaces creux entre les saillies des vertèbres. Les douleurs sont fréquentes à la hauteur des omoplates, parfois plus bas au niveau des reins, parfois au niveau du sacrum.

► *La capsule fibreuse* unit les articulations intervertébrales postérieures entre elles et est « cravatée » par des nerfs sensitifs qui innervent la peau du dos et du bassin. Les douleurs siègent de chaque côté de la colonne à un ou deux centimètres de la ligne médiane. Le lieu précis de la douleur est plus difficile à isoler du fait de la présence à ce niveau des muscles paravertébraux insérés le long des vertèbres.

Des douleurs trompeuses

Parfois l'irritation d'un nerf qui est au contact de la capsule articulaire intervertébrale irradie vers le ventre pouvant conduire à des difficultés de diagnostic avec une maladie des reins ou même une appendicite.

► *Les ligaments reliant la colonne vertébrale au bassin* sont à l'origine de douleurs qui siègent dans le bas de la colonne vertébrale et sur le bord supérieur du bassin.

► *Les ligaments sacro-iliaques* sont situés dans la région du sacrum de chaque côté. Leurs douleurs comme les précédentes sont très souvent confondues avec celles de la sciatique qui ont à peu près la même localisation.

Les muscles

Ils sont responsables de nombreuses douleurs du fait de contractures très intenses et très handicapantes ou d'inflammation de leurs insertions au niveau des tendons.

► *Les muscles trapèzes* forment un trapèze, comme leur nom l'indique, depuis le haut du cou jusqu'au bas du dos sans l'atteindre tout à fait. Les douleurs peuvent aller jusqu'au bord supérieur des épaules.

► *Les muscles paravertébraux* unissent les vertèbres de chaque côté de la ligne médiane et forment une chaîne continue du crâne au bassin. Les douleurs siègent au milieu du dos tout le long de la colonne.

► *D'autres muscles* s'attachent à la fois sur le thorax et sur les vertèbres ou sur les omoplates. Leurs insertions, notamment au niveau des omoplates, sont souvent douloureuses.

► *Les moyens fessiers* siègent sur le bord extérieur de la hanche. Les douleurs surviennent à la marche ou lorsqu'on est couché sur ce côté.

► *Les muscles pelvi-trochantériens* unissent le fémur au bassin. Les douleurs siègent en haut de la cuisse et derrière le fémur en profondeur. Elles sont exagérées par la marche.

► *Les muscles de la cuisse* sont souvent douloureux à leurs insertions hautes sur l'ischion qui est l'os sur lequel on s'assied et sur leurs trajets à la partie postérieure de la cuisse. Ces douleurs sont souvent confondues avec des sciatiques.

Le losange douloureux de Michaelis

Il correspond à des insertions de ligaments qui sont très souvent le siège de douleurs. Il est limité en haut par la dernière vertèbre lombaire, en bas par le sommet du sillon interfessier (troisième vertèbre sacrée) et latéralement par les deux fossettes latérales qui contiennent les articulations sacro-iliaques. Il est très visible sur les statues de nus féminins et masculins.

L'examen

Après un interrogatoire minutieux, l'examen clinique permet de localiser les zones douloureuses en reproduisant les douleurs par la palpation appuyée des ligaments et muscles de toutes les articulations des vertèbres et du bassin. La mobilité vertébrale, du tronc et des membres inférieurs est aussi évaluée par la flexion du tronc en avant et par la levée de la jambe à la verticale sur le patient couché.

Cette étape est essentielle au diagnostic et au choix du traitement.

À la fin de l'examen, il est important de classer les douleurs pour décider de la prise en charge et suivre l'évolution de la maladie.

Le classement des douleurs

De passagère à persistante

► Les formes aiguës, passagères, durent de quelques heures à quelques jours.

► Les formes persistantes occasionnent des souffrances presque quotidiennes, comme s'il y avait une « mémoire de la douleur » réactivée chaque fois qu'une position ou un mouvement crée une douleur. Elles peuvent durer plus de trois à six mois, c'est ce qui les différencie des formes aiguës. Nous n'utilisons pas le terme de chronique que les patients assimilent à incurable ce qui n'est pas vrai.

► Les formes intermittentes sont caractérisées par des périodes de douleurs, de durée variable, de quelques jours à quelques mois, séparées par des intervalles d'accalmie. Ce sont les plus fréquentes.

> **Après un premier épisode de mal de dos, la récidive survient une fois sur quatre dans l'année qui suit. Une bonne prévention permet de « briser » ce rythme.**

De légère à intense

► Les formes très discrètes sont constituées d'une gêne minime, d'une tension douloureuse intermittente.

► Les formes moyennes sont les plus fréquentes, les douleurs n'empêchent pas la plupart des activités mais les rendent pénibles.

► Les formes intenses sont responsables d'une limitation partielle des activités, comme par exemple l'automobile, les activités ménagères, le jardinage...

► Les formes très intenses et persistantes sont très invalidantes et impliquent une consommation médicamenteuse très importante. Il est un fait que ce sont ces cas, heureusement rares, que nous avons le plus de mal à traiter. L'intensité, l'étendue et la permanence des douleurs contrastent avec un examen clinique qui ne retrouve aucun signe de gravité particulière mais seulement des zones douloureuses diffuses. Tout se passe comme si les événements douloureux étaient fortement imprimés dans le cerveau et le corps de la personne et s'activaient ou se réactivaient en permanence.

La sciatique

Contrairement à l'idée souvent exprimée, la sciatique est rare (un cas sur cent parmi les personnes ayant mal au dos) et elle guérit le plus souvent avec un traitement médical. Le mal de dos et la sciatique sont deux affections différentes : l'une concerne les douleurs de la région du dos, l'autre l'agression d'un nerf.

La sciatique, Jacob et l'Ange

Après avoir lutté toute une nuit contre l'Ange, Jacob sort vainqueur mais il a reçu un coup d'épée à la hanche qui sectionne le nerf sciatique. Désormais, il boitera. Pour lui manifester son soutien, Dieu le bénit et change le nom de Jacob pour Israël !

La « sciatique » se manifeste par une douleur postérieure de la cuisse qui descend le long de la jambe jusqu'aux orteils selon un trajet qui varie avec la racine concernée, elle peut être associée à une diminution de la force musculaire et de la sensibilité.

Il est très fréquent qu'une personne qui a mal au dos se plaigne de douleurs de la région postérieure d'une ou des deux cuisses, souvent associées à des douleurs de la face postérieure du bassin. Ces douleurs postérieures, musculaires et/ou tendineuses dans le premier cas, ligamentaires ou encore musculaires, dans le deuxième cas, n'indiquent nullement une souffrance du nerf sciatique.

La cause la plus fréquente de la sciatique est la compression d'une des racines du nerf par une excroissance au niveau du disque intervertébral entre la quatrième et la cinquième vertèbre lombaire (L4-L5) ou la cinquième lombaire et la première vertèbre sacrée (L5-S1), c'est la hernie discale. Ces images sont visibles à l'IRM. L'existence de cette compression nerveuse n'impose pas nécessairement une « décompression chirurgicale », d'autant que certaines sciatiques authentiques ne s'accompagnent pas de compression par hernie discale mais plus probablement d'une irritation par une réaction de gonflement local à partir d'une lésion minime d'un disque. On fait jouer un rôle discutable à l'écoulement du liquide contenu à l'intérieur du disque servant d'amortisseur entre les corps vertébraux qui aurait un rôle d'irritation des racines du nerf sciatique.

La sciatique fait peur. Elle véhicule l'idée de paralysie des membres, de complications urinaires à type d'incontinence ou sexuelles, impuissance, frigidité. Elle introduit aussi la notion de « sanction » chirurgicale.

Les douleurs disparaissent sans chirurgie en quelques jours ou semaines avec un traitement médical intensif associant :

>> des antalgiques et des anti-inflammatoires généraux et/ou locaux par infiltrations épidurales ;

>> et le port précoce d'un corset rigide pendant quatre à huit semaines.

Ce ne sont pas les os qui font mal

Si l'on compare les radios de personnes ayant mal au dos avec celles qui ne souffrent pas, les aspects ne sont pas significativement différents.

Les images d'arthrose, de modifications permanentes des courbures vertébrales (scoliose, cyphose), de tassements vertébraux, de modification du disque intervertébral, d'ostéoporose... sont très banales et ne sont pas responsables des douleurs du dos sauf dans quelques cas rares. Ce sont là des particularités morphologiques, souvent liées à l'âge, et qui n'ont pas plus de signification que d'avoir des cheveux blancs ou des rides au visage.

Ce point est essentiel car on accorde une importance excessive à l'imagerie médicale (radios, scanner, IRM), et dans la majorité des cas les aspects osseux n'ont aucune responsabilité dans la survenue et le maintien du mal de dos.

Pourquoi a-t-on mal ?

Les douleurs peuvent avoir une origine locale ou générale.

Les contraintes répétées

Ces phénomènes sont connus en anglais sous le nom de *repetitive strain injuries* (RSI). Ce sont des traumatismes dus à des contraintes répétées et excessives, des *microtraumatismes* exercés sur les ligaments qui sont particulièrement innervés et donc réactifs à la douleur.

Les lésions peuvent être minimes mais à l'origine de douleurs parfois intolérables.

Ces contraintes peuvent être violentes (effort brutal), répétées (vibrations ou secousses par exemple) ou prolongées (maintien trop prolongé dans la même position). Elles produisent des souffrances localisées des tissus vertébraux, des lésions minimes mais très douloureuses, un gonflement, un œdème localisé qui vient distendre et faire souffrir les ligaments, les insertions musculaires et les muscles. Ces modifications circulatoires entraînent de plus au niveau des tissus une diminution de l'apport en oxygène et en éléments nutritionnels. Ces lésions sont réversibles donc curables.

Elles se manifestent par :

>> des douleurs intenses à type de *coup de poignard* ; dans le dos ce n'est pas un indice de gravité à l'inverse d'autres endroits du corps, l'abdomen par exemple ;

>> une douleur lors d'un effort qui ne doit pas être interprétée systématiquement comme l'indication d'une aggravation de la lésion causale.

Le maintien trop prolongé d'une contrainte continue ou répétée aboutit à une réaction douloureuse des tissus. L'utilisation du terme inflammation est probablement impropre, d'autant plus qu'il n'y a pas de consensus médical actuel sur une définition de l'inflammation. Ce terme est pourtant très largement utilisé, surtout quand il s'agit des anti-inflammatoires dont on fait un usage très large et parfois excessif dans le mal de dos pour leur rôle antidouleur. L'utilisation de cures médicamenteuses plus ou moins répétées et plus ou moins prolongées, voire permanentes, contribue d'ailleurs à faire entrer celui qui a mal au dos dans la maladie avec ses rituels de prises de médicaments à heures fixes.

Beaucoup de ces manifestations entrent maintenant dans la pathologie professionnelle et sont prises en charge comme telles, par les nouvelles dispositions sur les risques professionnels.

Il s'agit de phénomènes déjà observés au niveau des articulations des membres supérieurs. C'est le syndrome des claviers d'ordinateurs. La suractivité de contractions sans déplacement musculaire provoquée par l'usage intensif des claviers d'ordinateurs peut aboutir à un œdème des muscles dans des loges musculaires étroites. Ceci est particulièrement douloureux et invalidant pour les mains et les avant-bras.

La contracture des muscles

C'est un facteur important de douleur surtout au niveau des épaules, du haut du dos et dans la région lombaire.

La contracture musculaire est une réaction à la douleur ligamentaire ou capsulaire. Ainsi se trouve créé une sorte de cercle vicieux entre la douleur et la contracture qui peut être ouvert en agissant sur la lésion ou sur la contracture ou mieux sur les deux. Les effets de la chaleur, des étirements (stretching) et des contractions suivis de relâchement, plaident en faveur d'un rôle important des contractures dans le mal de dos. C'est sur elles aussi que, très probablement, agissent les étirements vertébraux par tractions et les mobilisations du rachis appelées aussi manipulations.

Il est possible de contrôler et de prévenir soi-même les contractures, ce sera l'un des points essentiels des méthodes proposées pour prévenir et traiter le mal de dos.

L'importance du psychisme

Biologie et psychisme interagissent. Les facteurs qui agissent sur la douleur sont biologiques, mais la part du psychisme tient une place très importante aujourd'hui et on la retrouve dans les manifestations qualifiées de psychosomatiques, par exemple dans la spasmophilie. Ils sont incontournables, mais ils ne se présentent pas toujours sous le même aspect clinique. Parfois il s'agit d'un syndrome dépressif net avec une grande souffrance psychique, qui doit être reconnu car il relève d'un traitement approprié. L'un des symptômes qui attirent l'attention est la survenue de crises de larmes au cours de la consultation. Parfois on observe une réactivation de la douleur par l'évocation d'événements personnels traumatisants (deuil, rupture amoureuse, licenciement, agression, échec professionnel ou sportif). Il s'agit souvent, ici, de manifestations qui entrent dans le cadre du syndrome des victimes psychotraumatisées, qui a été popularisé par les violences spectaculaires de guerres civiles ou d'attentats mais aussi par les effets du harcèlement. De tels constats n'excluent pas, bien entendu, une prise en charge complémentaire particulière du mal de dos, mais elle passe au deuxième plan.

La symbolique du dos au quotidien

Le dos est souvent utilisé dans des expressions de stress, de traîtrise, de détresse, de soumission, de victimisation :
« J'en ai froid dans le dos », « J'en ai plein le dos », « Il m'a fait un enfant dans le dos », « Il m'est tombé sur le dos », « Être le dos au mur », « Les renvoyer dos à dos », « Se mettre quelqu'un à dos », « Être sans cesse sur le dos de quelqu'un ou derrière son dos », « Avoir quelqu'un sur le dos », « Faire le dos rond », « Avoir bon dos », « Casser du sucre sur le dos de quelqu'un », « Lui manger la laine sur le dos », « Mettre quelque chose sur le dos de quelqu'un, l'accuser ».

Si quelqu'un a le « dos large », c'est plutôt rassurant s'il est de votre côté, mais c'est ambigu puisque cela peut indiquer aussi qu'il a une très grosse charge à supporter (Le Robert*).*
Le Bossu, *roman de Paul Féval, apparaît comme un personnage ambigu, à la fois inquiétant et porteur de chance si l'on touche sa bosse.*

Des conditions sociales difficiles

Certaines personnes fragiles, souvent immigrées, dont la capacité d'intégration sociale est liée à la capacité de production d'un travail physiquement éprouvant, dans le bâtiment le plus souvent, ont un mal de dos au début ordinaire. Sous l'influence combinée de la médicalisation excessive, de la suspicion de la médecine de contrôle et (parfois) des exigences de la médecine du travail et de l'employeur, il prend des proportions catastrophiques aboutissant à un déclassement et à l'exclusion professionnelle et sociale. *A posteriori*, il est très difficile de faire face pour ces personnes dévalorisées, victimes de leur propre mésestime et souvent mal conseillées sur leurs droits sociaux.

La spasmophilie

La spasmophilie n'est pas une maladie, elle est plutôt une manière d'être physiquement et psychologiquement. Les personnes spasmophiles sont souvent des femmes, sympathiques, ouvertes aux autres. Elles ont tendance à prendre sur elles les souffrances des autres et à en porter le poids. Cet état particulier nous paraît être un facteur facilitant les manifestations du mal de dos.

La personne se sent « mal dans sa peau », se plaint de sensations de fourmillements des membres ou autour de la bouche, d'oppression thoracique avec angoisse, de claustrophobie et de douleurs dans le dos.

L'examen met en évidence un signe très évocateur lors de la percussion de la joue et de la commissure des lèvres : une contraction plus ou moins « explosive » des muscles de cette région, c'est le signe de Chvostek. Sa présence signe une spasmophilie qui pourrait être confirmée par un électromyogramme qui étudie l'activité électrique des muscles. L'hyperexcitabilité ou l'absence de mise au repos entre les activités des cellules musculaires et nerveuses abaisse le seuil de la douleur, ce qui tend à amplifier les réactions douloureuses à une stimulation. La décontraction des cellules musculaires est difficile à obtenir ce qui entraîne l'apparition de contractures.

La rééducation respiratoire en intercalant des périodes de pause entre les temps de respiration permet de modifier le rythme respiratoire, ce qui se révèle très efficace sur cette hyperexcitabilité et est sans danger.

La prise de magnésium par cure de deux à huit semaines, une à quatre fois par an améliore les phénomènes douloureux localisés au dos et procure, de façon plus globale, une sensation générale de mieux-être.

Les dosages biologiques sont inutiles pour contrôler les effets du traitement. La consommation de chocolat, riche en magnésium, est une autre solution, mais elle peut être « pénalisante » pour le poids.

Les endorphines

Ces « morphines internes » sont sécrétées à l'occasion de l'effort, ce qui explique l'état de bien-être dans lequel se trouvent les sportifs à partir d'un certain niveau d'exercice.

La restriction de l'effort chez le sujet qui a mal au dos entraîne une diminution des endorphines dans le sang avec, pour conséquence, une sensation de mal-être et une accentuation de la perception des phénomènes douloureux.

À retenir

– Le mal de dos n'est pas une maladie, mais une façon de réagir à divers stress locaux et généraux.

– Les douleurs sont directement liées à un usage inapproprié du dos dans la vie quotidienne.

– L'intensité et la durée de la douleur entraînent une réaction psychologique négative, le plus souvent sur un mode de dévalorisation.

– Le mal de dos participe à l'expression corporelle d'un mal-être psychosocial.

À chaque âge ses douleurs

Le bébé

Chez le nouveau-né, le dos est arrondi et incurvé vers l'avant de façon harmonieuse. La partie haute va se redresser progressivement tandis que le bébé va apprendre à tenir assis, ce qu'il fait seul, à 6 mois, en s'aidant de ses deux bras. La courbure du « creux des reins » est toujours absente. À 9 ou 10 mois, il peut tenir debout « en pointant les fesses » vers l'arrière, tronc penché en avant.

Ce n'est que lors de l'acquisition de la marche, vers 13-14 mois en moyenne, que la colonne vertébrale va prendre sa position définitive et que vont apparaître les quatre courbures alternées caractéristiques de l'homme. La marche à quatre pattes et se traîner sur les fesses sont sans inconvénient pour le dos de l'enfant.

L'enfant et l'adolescent

Le dos de l'enfant doit faire l'objet d'une observation attentive de la part des parents et des médecins surtout dans la période qui précède et accompagne la puberté. Le but est de s'assurer de l'absence de déformation latérale ou scoliose. Pour cela, il faut demander régulièrement à l'enfant, de se pencher en avant, debout, jambes tendues, en plaçant les mains jointes entre les genoux. On observe le déroulement de sa colonne vertébrale, en se plaçant derrière ou devant lui. Toute dénivellation ou saillie le long de la colonne est suspecte et conduit à un avis médical et, éventuellement, à la prescription d'une radiographie.

Le mal de dos est associé à l'adulte qui exerce un travail physiquement dur ou des efforts physiques importants, ce qui entraînerait une usure des structures vertébrales.

Depuis de nombreuses années, on a vu se développer le mal de dos chez l'enfant et chez l'adolescent, comme si ce phénomène de société s'étendait à une jeunesse sans cesse plus émancipée. La poussée de croissance vertébrale semble un facteur favorisant même lorsqu'elle ne prend pas l'aspect de la cyphose douloureuse ou maladie de Sheuerman, qui est rare et qui s'accompagne de modifications radiologiques évocatrices.

À l'âge de 15 ans, 8 % des adolescents ont mal au dos, de façon intermittente ou permanente, et 30 à 40 % des enfants et des adolescents se plaignent d'avoir souffert de leur dos, surtout les filles.

Un certain nombre de facteurs ont été incriminés :

>> la station assise prolongée avec des dossiers de sièges fortement inclinés en arrière ; c'est la principale accusée ;

>> sacs et cartables scolaires trop lourds ;

>> contraintes excessives lors du sport ;

>> stress, dépression, labilité émotionnelle ;

>> literie non adaptée, matelas trop mou et oreiller placé sous le dos et non strictement sous la tête. Dormir sur le ventre est aussi déconseillé.

D'une façon générale on peut considérer que les jeunes se comportent comme les adultes à propos de leur dos et il est faux qu'un mal de dos dans l'enfance ou l'adolescence soit un facteur de fragilité du dos à l'âge adulte. Ce raccourci ne nous paraît pas acceptable d'un point de vue anatomique et il risquerait d'entraîner des orientations professionnelles ou sportives injustifiées.

La grossesse

Certaines femmes s'inquiètent de leur mal de dos quand elles veulent avoir des enfants. Est-ce que la grossesse est possible ? Ne va-t-elle pas aggraver mon état vertébral de façon définitive ? Est-ce que l'enfant ne va pas en souffrir ?

Certaines femmes pensent même qu'une déformation du dos est une contre-indication à la maternité. Une jeune femme de 24 ans avait été opérée à la fin de son adolescence d'une scoliose avec mise en place de tiges métalliques. Le chirurgien lui avait interdit toute grossesse. Désespérée, elle était venue consulter pour un mal de dos dont l'origine n'était pas, bien sûr, sa scoliose, mais surtout sa frustration face au désir d'avoir une vie sexuelle et d'être mère. Nous l'avons totalement rassurée.

Le mal de dos ne s'aggrave pas, en tout cas pas de façon durable, au cours de la grossesse.

Plus de la moitié des femmes, au sixième mois de grossesse, se plaignent de mal de dos, le port d'une ceinture de grossesse est conseillé et ne représente aucun inconvénient sur le plan obstétrical. C'est avec les femmes enceintes qu'a pu être vérifiée l'efficacité des écoles du dos.

Le bel âge

« Bel âge » est l'expression positive retenue par la ville de Saint-Mandé, sur proposition d'un de ses anciens maires pour désigner le groupe de la population la plus âgée.

Le mal de dos ne s'accroît pas avec l'âge bien que le dos se voûte et que les courbures s'effacent. La colonne vertébrale se remanie et le nombre de modifications radiologiques s'accroît, l'arthrose, l'ostéoporose, les tassements vertébraux, etc. Cela est un argument supplémentaire pour ne pas incriminer l'arthrose et, d'une façon générale, tout remaniement des images osseuses observées au niveau du rachis.

La mobilité est réduite, la stabilité des membres inférieurs et le contrôle de l'accroupissement sont moins assurés.

Le mal de dos de la personne âgée ne présente pas de singularité par rapport à celui de l'adulte plus jeune. Les traitements sont les mêmes et les exercices de prévention doivent être adaptés aux capacités fonctionnelles de la personne, aux risques de chutes en particulier. Il y a des cas extrêmes où, devant des déformations importantes avec tassements vertébraux importants liés à l'ostéoporose, des corsets sur mesure sont indiqués.

3

Les idées fausses sur le mal de dos

L'interprétation de l'état vertébral des personnes qui souffrent de leur dos est en très grande partie responsable de l'intensité et de la persistance de leurs douleurs. Actuellement la personne qui a mal au dos est en quelque sorte coincée entre deux interprétations aussi inquiétantes, voire « terrifiantes », l'une que l'autre : l'une est médicale, c'est la notion de défaillance « discale » ou « disco-vertébrale », l'autre est ostéopathique, c'est la notion fausse de « déplacement vertébral ».

Ces approches ont en commun d'induire, chez l'intéressé, la notion de fragilité vertébrale, de risque permanent d'un accident mécanique très pénible, voire dangereux. Bref, de faiblesse et de perte de confiance en son axe vertébral, celui qui soutient toute la « charpente » du corps humain.

On peut alors véritablement parler de « iatrogénie », c'est-à-dire de mal-être ou maladie induite par le médecin (*iatros*, en grec) Force est de reconnaître que le discours médical et, par extension, celui des paramédicaux, surtout des kinésithérapeutes, sont traumatisants.

Les discours aussi bien médicaux qu'ostéopathiques alarmants sont les principaux responsables de la permanence du mal de dos.

Le vocabulaire médical inquiète, stigmatise et « chronicise » : c'est-à-dire que le discours du médecin consulté va souvent susciter auprès du patient toutes sortes d'inquiétudes et d'angoisses que nous avons essayé de répertorier pour mieux en faire prendre conscience aux professionnels de la santé ainsi qu'aux usagers et les contrer.

Notre conviction est que là se trouve la cause principale du mal de dos. D'un côté il y a le discours inquiétant des médecins avec leur « hernie discale », « arthrose » et autres « tassements » la notion effrayante de « dégénératif » et la notion stigmatisante de « chronique ». D'un autre côté, on trouve le discours des ostéopathes, chiropracteurs et autres « ajusteurs » de vertèbres qui ont tous en commun d'effrayer et de persuader de l'existence d'une instabilité ostéo-articulaire qui n'existe pas mais qui inquiète celui qui est concerné. Il s'agit, en fait, dans la très grande majorité des cas, de lésions bénignes, parfaitement curables, spontanément ou avec un traitement approprié.

La problématique du mal de dos est donc, en grande partie, la transformation de manifestations banales en un état pathologique sévère qui peut conduire à la réduction fonctionnelle d'un être humain et à son exclusion sociale.

C'est pourquoi nous enseignons aux étudiants en médecine que la complication la plus grave du mal de dos est le chômage et que l'origine du licenciement est, bien souvent, la répétition de certificats médicaux d'arrêt de travail.

En cas d'accident du travail, ce peut être l'« engluement » dans une procédure conflictuelle entre la victime ayant un mal de dos par accident du travail, et soutenue par son médecin traitant, et le système de contrôle médical des caisses de sécurité sociale suspicieuses face à une non-reprise. Bien des malentendus pourraient être évités par une démarche plus simple et plus efficace.

Nous avons recueilli une liste de propos inexacts, dévalorisants, négatifs qui sont couramment répandus par des médecins et des kinésithérapeutes et repris dans le discours populaire habituel sur le mal de dos.

C'est le fruit de l'écoute attentive du discours des participants à nos consultations de médecine de rééducation ou des participants à nos écoles du dos, dans les services de médecine physique et réadaptation au CHU Henri-Mondor à Créteil et à l'hôpital Bichat-Claude-Bernard, à Paris.

C'est le disque intervertébral

Cette interprétation est fréquente : mal de dos + pincement discal décelé par l'imagerie = mal de dos par hernie discale = chirurgie pour « être débarrassé ». La crainte de devenir un grand handicapé est présente. Elle a même pu être utilisée (à tort) comme argument persuasif fort par un chirurgien qui a voulu convaincre un de nos patients en lui disant qu'en l'absence d'intervention chirurgicale « ce sera le fauteuil roulant » !

Il est très banal d'avoir à la radiographie une modification de l'image habituelle d'un ou de plusieurs disques intervertébraux sans que cela ait un lien quelconque avec la présence d'un mal de dos. Des études comparées chez des personnes avec mal de dos et des personnes sans mal de dos ont montré qu'il y avait autant de modifications radiologiques des disques dans l'un et l'autre groupe. Ce n'est donc pas nécessairement parce que l'on a une image à la radio, au scanner ou à l'IRM, de hernie discale que l'on doit avoir nécessairement mal au dos et inversement.

> On peut avoir une ou plusieurs modifications des disques intervertébraux sans avoir jamais mal au dos.

C'est l'arthrose

L'interprétation usuelle est que l'arthrose est une maladie dégénérative et évolutive qui va détruire les disques et les vertèbres, comprimer les nerfs provoquant douleurs et paralysies, conduire à une déchéance fonctionnelle et à une grande infirmité avec handicaps.

L'évocation de l'arthrose est synonyme de douleurs, de vieillissement, de dégradation du corps, de personnes voûtées, appuyées sur une canne, écrasées par le poids des ans et des souffrances, avançant à petits pas.

Ces descriptions détaillées des comptes rendus radiologiques qui insistent sur les mots bec de perroquet, dégénératif, étagé, discarthrose inquiètent et conduisent à la sensation d'avoir une colonne vermoulue, fissurée, déformée, donc fragilisée et à l'origine de toutes les souffrances imaginables.

Le bec crochu du perroquet évoque à tort une irritation, un pincement, une compression de nerfs.

Avoir une crise ou une poussée de mal de dos ne signifie pas qu'il y a évolution d'une « maladie » des vertèbres sauf dans quelques cas rares de rhumatismes inflammatoires qui sont rapidement diagnostiqués par les médecins.

L'arthrose est un aspect répandu et banal des colonnes vertébrales. La présence de signes d'arthrose à la radiographie n'a, le plus souvent, aucune signification pathologique. Il n'y a pas de corrélation entre l'intensité de la douleur et l'apparente sévérité de l'état anatomique.

Plus de la moitié de la population de 40 à 50 ans présente des signes radiologiques d'arthrose au niveau du rachis cervical et seulement 10 à 15 % ont des irritations ou des compressions des racines nerveuses. Ce nombre est probablement à restreindre car le diagnostic de névralgie cervico-brachiale est souvent porté par excès devant de banales douleurs musculaires de cette région.

L'arthrose peut être douloureuse, lorsqu'elle rétrécit le canal lombaire et qu'elle touche certaines racines nerveuses.

L'arthrose vertébrale n'est pas, le plus souvent, à l'origine du mal de dos ou du mal de cou.

C'est une déformation de la colonne vertébrale

L'idée est fréquemment répandue qu'une « déformation » vertébrale provoque des douleurs. Seule la mise en position extrême est un facteur de douleurs.

>> L'exagération de la courbure du dos en cyphose, vers l'avant, doit être corrigée par une meilleure position debout ou couchée.

>> Il ne faut pas favoriser les attitudes en hyperlordose.

>> Les scolioses ne sont pas douloureuses. Chez l'enfant et l'adolescent, elles doivent être dépistées et traitées le plus tôt possible, si elles sont évolutives. Il ne faut pas attendre les douleurs pour les reconnaître. C'est l'examen systématique du rachis « déroulé », c'est-à-dire totalement fléchi en avant qui permet au médecin de la dépister et de l'orienter vers un traitement dont l'essentiel, aujourd'hui, dans les formes évolutives, est le port d'un corset.

On peut avoir une scoliose et ne pas souffrir du dos.

C'est dans le bas du dos, c'est une sciatique

La sciatique fait très peur. Elle est évocatrice de souffrances atroces, de paralysies et d'impuissance sexuelle ou de frigidité. Elle est rare puisqu'elle concerne un « dosalgique » sur cent. Les douleurs du bas du dos, de la fesse et de la cuisse sont dues le plus souvent aux muscles ischio-jambiers qui s'attachent sur les ischions en haut, c'est-à-dire sur les deux saillies osseuses sur lesquelles nous sommes assis et sur la partie supérieure des jambes en bas. D'autres douleurs musculaires ou tendineuses siègent à la partie haute du bassin sur le trajet du sciatique sans qu'il soit en cause.

Très rares sont les douleurs du bas du dos qui sont des sciatiques.

C'est chronique

Cette affirmation est insupportable car l'interprétation est : « Vous avez dit chronique » donc « incurable, inguérissable ». La notion de chronicité est relative puisque l'on passe d'aigu à chronique au troisième ou sixième mois de douleurs. De plus les douleurs sont souvent intermittentes avec des rémissions suivies de reprises. Le fait d'avoir souffert plus de six mois et même plusieurs années n'est pas incompatible avec la possibilité de guérir.

Les douleurs chroniques peuvent guérir.

Les mots à ne plus utiliser à propos du mal de dos :
chronique, sciatique, hernie discale, arthrose, dégénérescence, chirurgie, repos, arrêt de travail, « il faut vivre avec », « il n'y a rien à faire ».

La ceinture lombaire fait fondre les muscles

Cette affirmation est totalement erronée. Elle ne repose sur aucune base biomécanique ni aucune étude clinique. Non seulement l'activité musculaire est maintenue, mais les muscles du tronc sont très actifs sous ceinture. On craint, à tort, l'accoutumance, alors que l'on peut arrêter le port de la ceinture à tout moment. Elle est un moyen très efficace de prévention et prive celui qui a mal au dos d'un moyen efficace de traitement, qui s'est montré supérieur à l'usage des médicaments dans une étude récente.

> La ceinture est un moyen très efficace de prévention et de traitement du mal de dos. Très utile elle n'est jamais nuisible.

C'est parce que vous êtes trop gros

Cette assertion inexacte renvoie celui qui a mal au dos à une deuxième « infirmité », son surpoids. Elle augmente son sentiment de dévalorisation et le « condamne » quand il n'arrive pas à maigrir. Par contre, un poids excessif est nocif pour les genoux et les hanches, et c'est leur souffrance qui limite les capacités de ménager le dos. L'installation en voiture, le passage dans des espaces étroits peuvent être difficiles et se faire au prix de contraintes supplémentaires pour le dos. Le port des ceintures lombo-pelviennes souples et leur efficacité sont limités par un abdomen trop proéminent.

> Le surpoids est nocif pour les genoux et les hanches, pas pour le dos.

Restez au lit et ne faites plus de sport

Plus on a une activité physique, moins on a mal au dos. Cette affirmation qui doit paraître paradoxale à ceux qui ont connu l'époque du « traitement » par le repos strict au lit a pris un grand essor aux États-Unis et, par imitation, en Europe. Des centres de rééducation physique intensive se sont développés où les patients vont tous les jours pendant deux à trois semaines, sans tenir compte des réactions douloureuses, ce qui nous semble excessif. Il ne faut pas être limitatif pour les efforts : arrêter le moins possible le travail, conseiller les sports, tous les sports, sans exclusive.

Le déconditionnement à l'effort apparaît comme une « deuxième maladie », c'est un « mal-être » supplémentaire, c'est une peur plutôt qu'une désadaptation physiologique à l'effort.

Il n'y a rien à faire

De tels propos dans la bouche d'un médecin ont un effet extrêmement négatif et destructeur pour la personne qui se voit condamnée à un avenir de souffrances et de privation de sa qualité de vie. Il est possible de stabiliser l'évolution d'un mal de dos, mais il est aussi tout à fait possible de le guérir même après de longues années d'évolution. L'idéal est cependant de commencer tôt avant l'installation d'un véritable « syndrome victimaire » chez des personnes épuisées, découragées et traumatisées par les douleurs et les discours médicaux ou paramédicaux.

> Il y a toujours une solution aux problèmes du dos.

Il faudra opérer

La chirurgie sous anesthésie fait peur, elle est perçue comme une menace suspendue au-dessus du dos comme un « bistouri de Damoclès ». Elle apparaît comme un ultime recours, un geste radical qui éliminerait « le problème », ce qui n'est pas le cas. Le discours médical sur le mal de dos est trop marqué par l'aspect « lésionnel » qu'il dramatise.

> La chirurgie est un traitement d'exception du mal de dos.

La vertèbre est déplacée

Il n'y a aucun déplacement vertébral lors d'un faux mouvement ni lors d'une manipulation ; on connaît quelques maladies, comme une hypermobilité des ligaments ou une instabilité par lésion vertébrale préexistante, qui peuvent être à l'origine d'un déplacement contre-indiquant formellement toute manipulation. La manipulation est une des méthodes de la médecine de rééducation qui ne remet pas en place une vertèbre prétendument déplacée, mais qui agit sur les lésions voisines par contraintes sur les parties molles.

Ces manipulations font actuellement l'objet d'un engouement tout à fait excessif. Elles doivent être effectuées par des personnes formées à la médecine physique et de réadaptation. Nous considérons que la manipulation du cou, même faite par des médecins très bien formés, doit être retirée des moyens de traitement du « mal de cou » car elle est excessivement dangereuse. Nous avons rencontré et publié plusieurs cas de complications parfois gravissimes qui se sont ajoutés à une longue liste de victimes de cette technique. Il y a des moyens simples, efficaces et non dangereux, de traiter le « mal de cou » à commencer par l'usage d'un bon oreiller.

Le syndrome d'Ehlers-Danlos

L'hyperlaxité des ligaments de la colonne vertébrale s'accompagne de douleurs du cou, d'entorses ou de subluxations, de blocages de la mâchoire, de douleurs diffuses, d'une difficulté à ressentir la position de ses membres, d'une fragilité cutanée avec des ecchymoses, d'une fatigue importante, de troubles digestifs et de difficultés à vider la vessie.

Les vertèbres ne se déplacent pas. On peut traiter et guérir le mal de dos et le mal de cou sans manipuler la colonne vertébrale.

4

Évaluer votre mal de dos

Évaluer l'état de son dos est une nécessité pour qui veut entreprendre un traitement et une réadaptation vers la guérison. Cela est également indispensable pour les médecins et les kinésithérapeutes, ergothérapeutes, psychomotriciens, ou infirmières, professionnels de l'éducation physique et sportive qui vous suivent et vous conseillent.

Nous avons mis au point un autoquestionnaire d'évaluation, le doscope, que vous pouvez remplir dans les écoles du dos, avec votre médecin ou au cours de séances de rééducation.

Cet état à un moment donné sert de repère et précise les mécanismes et les circonstances de survenue du mal de dos.

Les scores, de 0 à 3, permettent d'évaluer les capacités fonctionnelles, le handicap et la qualité de vie :

>> 0 : aucun handicap, le geste ou l'activité peuvent être réalisés sans souffrance ;

>> 1 : les douleurs sont pénibles ou inconfortables, mais le geste ou l'activité sont réalisables ;

>> 2 : les douleurs sont handicapantes avec limitation partielle des capacités fonctionnelles ;

>> 3 : toute activité est impossible.

L'intérêt de ce questionnaire est :

>> d'associer la personne à sa propre évaluation ;

>> d'envisager globalement l'état général et pas seulement celui du dos ; il donne plus d'informations qu'une échelle de mesure de la douleur ou la cotation de la manœuvre de flexion en avant du tronc avec mesure de la distance doigts-sol ;

>> d'être une synthèse entre les moyens de mesure du handicap les plus avancés qui restent trop « objectifs » et l'approche de la « qualité de vie » qui est trop « subjective » et qui ne tient pas toujours compte de la hiérarchie individuelle des critères de qualité de vie. C'est ainsi que d'avoir une pénibilité à jouer au golf n'altère pas la qualité de vie de tous les individus de la même façon.

Une telle méthode d'évaluation permet à chacun de suivre ses progrès, mais elle est aussi utile à l'entreprise pour évaluer les difficultés du personnel avec leur dos et ainsi permettre de déboucher sur une prévention efficace.

Le doscope

Présentez-vous

Nom : ____________ Prénom : ____________ Sexe : _______

Date de naissance : __________

Situation familiale :

❑ Célibataire ❑ Vie en couple ❑ Veuf(ve) ❑ Divorcé(e)

Statut professionnel :

❑ Scolarisé(e)/étudiant(e)
❑ En activité
❑ En arrêt « maladie »
❑ En arrêt « accident du travail »
❑ En formation professionnelle
❑ Sans profession
❑ En recherche d'emploi
❑ Retraité

Profession : ________________

Votre histoire du mal de dos

Date de la première apparition : ________________

Survenue brutale ❑ oui ❑ non

Accident du travail ❑ oui ❑ non
si oui, date : __________

Les douleurs sont-elles permanentes ? ❑ oui ❑ non

Les douleurs sont-elles épisodiques ? ❑ oui ❑ non

Appréciation du nombre de jours avec mal de dos par année : ________

Existe-t-il des crises douloureuses intenses ? ❑ oui ❑ non

Combien chaque année depuis deux ans ? ________

La localisation des douleurs

❑ Cou
❑ Haut du dos
❑ Bas du dos
❑ Cuisse(s)
❑ Jambe(s) et pied(s)

Poids : _______ Taille : _______

La gêne fonctionnelle

0 : pas d'inconfort ni de limitation
1 : pénibilité, inconfort
2 : limitation partielle
3 : impossibilité

MAINTIEN POSTURAL	0	1	2	3
se tenir debout	❑	❑	❑	❑
se tenir assis	❑	❑	❑	❑
rester allongé	❑	❑	❑	❑
se tenir accroupi	❑	❑	❑	❑
se tenir à genoux	❑	❑	❑	❑
CHANGEMENT DE POSITION				
se retourner en position couchée	❑	❑	❑	❑
passer de la position assise à la position debout	❑	❑	❑	❑
marcher	❑	❑	❑	❑
courir	❑	❑	❑	❑
se relever du sol	❑	❑	❑	❑
SOMMEIL	❑	❑	❑	❑

Les traitements suivis

Nombre de jours avec prise de médicament(s) pour le dos dans l'année écoulée : __________

Nombre de séances de kinésithérapie dans l'année écoulée : __________

Les différentes situations de la vie

0 : pas d'inconfort ni de limitation
1 : pénibilité, inconfort
2 : limitation partielle
3 : impossibilité

Actes de la vie courante	0	1	2	3
Vêtir la partie inférieure du corps (y compris mettre ses chaussures)	❑	❑	❑	❑
Prendre une douche ou un bain	❑	❑	❑	❑
Monter ou descendre un escalier	❑	❑	❑	❑
Ramasser un objet au sol	❑	❑	❑	❑
Utiliser les transports en commun	❑	❑	❑	❑
Conduire une automobile ou un deux-roues	❑	❑	❑	❑
Être passager d'une automobile	❑	❑	❑	❑
Faire le ménage	❑	❑	❑	❑
Repasser le linge	❑	❑	❑	❑
Faire les courses	❑	❑	❑	❑
Faire la cuisine	❑	❑	❑	❑
Vie affective et liens sociaux				
Retentissement sur la vie sexuelle	❑	❑	❑	❑
Relations avec les enfants et la famille	❑	❑	❑	❑
Relations avec les amis, les voisins	❑	❑	❑	❑
Loisirs				
Retentissement sur les activités de loisirs	❑	❑	❑	❑
Activités professionnelles				
Retentissement sur la situation professionnelle	❑	❑	❑	❑

Menace de désinsertion professionnelle ❑ oui ❑ non

Nombre de jours avec arrêt de travail, dans l'année écoulée ________

	0	1	2	3
Activités scolaires, universitaires et autres formations	❑	❑	❑	❑
Retentissement global sur l'activité	❑	❑	❑	❑

QUELLE EST LA SITUATION DANS LAQUELLE VOUS ÊTES LE PLUS HANDICAPÉ PAR LE MAL DE DOS ?

Le vécu subjectif

0 : pas de modification de la subjectivité
1 : retentissement subjectif moyen
2 : retentissement subjectif important
3 : retentissement subjectif très important

VOTRE POINT DE VUE	0	1	2	3
Avez-vous vécu la survenue du mal de dos de façon psychiquement traumatisante ?	❑	❑	❑	❑
Avez-vous la sensation que votre dos est fragile ?	❑	❑	❑	❑
Avez-vous la sensation d'être diminué et moins capable ?	❑	❑	❑	❑
Avez-vous la sensation d'être « rejeté », socialement exclu, ou marginalisé à cause de votre mal de dos ?	❑	❑	❑	❑
Avez-vous le sentiment de pouvoir être amélioré ou guéri ?	❑	❑	❑	❑

Malaise, maladie ou handicap ?

L'Organisation mondiale de la santé (OMS) a introduit dans sa définition de la santé (1949) la notion de « bien-être ». Cette définition « positive » nous paraît bien préférable aux définitions « négatives » venant des médecins soucieux de séparer le normal du pathologique, car nous recherchons pour nos patients le meilleur état de bien-être possible, compte tenu de leur état physique et psychologique et de leurs ressources disponibles pour y parvenir. Il s'agit donc d'un état relatif et variable. Une telle définition fait reconsidérer la notion de guérison. Être guéri n'est plus nécessairement le retour à l'état antérieur à la maladie. On peut ainsi avoir une image discale pathologique, de « hernie » par exemple, et être guéri de son mal de dos.

Le dos victime du mal-être

Les médecins voient affluer dans leurs cabinets un nombre croissant de patients qui viennent pour des douleurs du dos ou du cou, alors que l'examen est quasiment normal. Ils sont en état de malaise, bien souvent victimes du stress social ambiant renforcé par la médiatisation des problèmes de santé qui contribuent à un climat d'insécurité. Il ne faut pas considérer ces personnes comme de « faux malades », sous-entendu « psychiques » donc suspects, ils doivent bénéficier comme les autres d'une prise en charge médicale.

La maladie

La médecine contemporaine apparaît plus souvent comme une science des maladies que comme une science de la santé. Elle recherche l'explication des événements pathologiques par des modifications objectives du corps humain. Des progrès considérables ont été faits, mais le tout technologique connaît cependant des limites. La douleur est perçue, par les médecins, comme un signe potentiellement révélateur d'une maladie avec une ou des lésions dont la sévérité est en rapport avec l'intensité douloureuse et, par les malades, comme une souffrance, qui peut être intolérable. La santé pour le chirurgien de la douleur René Leriche serait le silence des organes.

Un handicap, oui, mais pour une situation donnée

Le handicap est une difficulté rencontrée par une personne dans une situation donnée qui rend impossible une activité compte tenu des capacités existantes. On devrait toujours dire « handicapé pour ».

Quand on a mal au dos on peut être handicapé pour une activité, repasser, et pas pour une autre, aller à pied au travail.

Schématisation du handicap (Cl. Hamonet, T. Magalhaes)

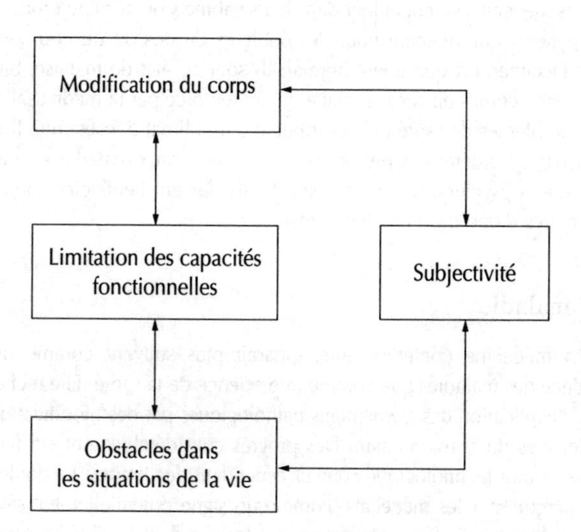

Le handicap tient compte de quatre notions pour aborder le mal de dos :

>> la modification de l'état corporel, par exemple les contraintes ligamentaires, les tensions musculaires, etc. ;

>> le retentissement fonctionnel, difficultés à la station assise, limitation à la marche, etc. ;

>> les situations de handicap rencontrées, difficultés dans la vie quotidienne, difficultés à effectuer des voyages prolongés en voiture, etc. ;

>> le point de vue subjectif de la personne, sensation de dévalorisation, d'exclusion du loisir de la promenade familiale en voiture, perception négative du futur si la personne est persuadée que, parce qu'elle a de l'arthrose vertébrale, elle ne guérira pas.

À partir de ces données, nous pouvons :

>> expliquer à nos patients les mécanismes de la douleur ;

>> éduquer pour aboutir à une bonne utilisation du dos dans les diverses attitudes fonctionnelles : être assis, être debout, être couché, etc. ;

>> proposer d'adapter les diverses situations de la vie quotidienne et professionnelle : se laver les dents, utiliser un clavier d'ordinateur, etc ;

>> dédramatiser le mal et motiver le patient en lui donnant les moyens de le combattre.

Être en bonne santé, c'est aussi ne pas être et ne pas s'imaginer en situation de handicap. Cette notion intègre la qualité de vie.

On peut donc rencontrer des personnes en état de malaise, des malades et d'autres en situation de handicap. Ce qu'il faut éviter c'est de transformer les personnes en état de malaise, ici les personnes avec un mal de dos, en malades et en personnes handicapées.

L'approche de la maladie et du mal-être permet à partir du diagnostic d'envisager un traitement qui permettra la guérison avec ou sans séquelles.

L'approche du handicap permet une réadaptation vers l'autonomie avec ou sans dépendance.

La prise en compte du mal de dos nécessite prévention et réadaptation.

Deuxième partie

Prévenir et traiter

Assis, debout, couché

On passe environ un tiers de son temps couché, un autre tiers assis, et le reste debout immobile ou en marchant.

L'art d'être assis

Assis, on mange, on voyage, on étudie, on travaille dans un bureau, on regarde la télévision ou on joue aux cartes. Seuls les péripatéticiens grecs enseignaient debout et en marchant accompagnés de leurs élèves. Cela évitait la somnolence mais aussi peut-être... le mal de dos ! La position debout est moins pénible que la position assise pour ceux qui ont mal au dos.

La plupart des personnes avec un mal de dos souffrent principalement assis, secondairement debout, mais elles sont le plus souvent soulagées par la marche. La position couchée est, généralement, celle qui soulage le mieux.

La position assise est une « position clé » dans le mode de vie sociale contemporain, ne dit-on pas : « il a une place bien assise ».

La courtoisie implique de céder sa place assise à ceux et à celles pour lesquels la station debout est pénible (femmes enceintes, personnes âgées, personnes handicapées), pénible pour le dos. Mal s'asseoir c'est avoir une adaptation « biomécaniquement incorrecte », bien souvent à l'origine des douleurs du dos dans la vie courante.

Qu'est-ce qu'un bon siège ?

La chaise est l'objet le plus utilisé pour s'asseoir.

Le dossier

Contrairement à l'idée reçue, ce n'est pas en « s'adossant » que l'on est le mieux assis. Le dossier est l'ennemi du dos. Il ne doit pas être incliné en arrière. Il doit être droit ou même, comme certains sièges de bureau, légèrement inclinés en avant. L'inclinaison vers l'arrière accentue la courbure du segment lombaire (« les reins ») de la colonne vertébrale et place donc cette région du dos dans des conditions mécaniques difficiles.

La hauteur du siège

Une bonne chaise ne doit pas être trop haute, les pieds doivent pouvoir toucher le sol. Au besoin une cale peut être ajoutée sous les pieds.

Le plateau du siège

Il doit permettre de caler le bassin contre le bas du dossier pour former un point d'appui solide et stable. Il ne doit pas être trop long pour ne pas laisser « pendre les jambes » et comprimer le mollet.

La souplesse

Le siège ne doit pas être trop mou pour permettre une assise stable nécessaire au maintien de la colonne vertébrale. Il autorise les mouvements, permet de « bouger sur place » ce qui soulage les douleurs du dos en position assise. L'idéal est de se lever régulièrement.

Pour « soulager » la colonne vertébrale

Lorsque vous êtes assis sur un banc, un tabouret, un muret ou même par terre, soutenez votre visage à une ou à deux mains, cela augmente la courbure de la colonne.

Comment s'asseoir sur une chaise ?

La position standard, à la parisienne

Elle est socialement et mécaniquement correcte. Vous calez les fesses au fond du siège contre le bas du dossier et les pieds touchent le sol.

Pour imager cette position, nous utilisons la comparaison avec le « style œuf » au ski, rendu célèbre, naguère, par la skieuse française Marielle Goitschel (*figure 2a*). Les genoux sont fléchis, le tronc penché en avant, les fesses « pointent » vers l'arrière. Elles doivent toucher le fond du siège les premières. Pour éviter que le dos ne vienne prendre appui sur le dossier, vous penchez le tronc en avant. Cela a pour but de fixer l'attention sur la nécessité d'éviter, à tout prix, de se pencher en arrière pour essayer de trouver la fausse sécurité du dossier. Une fois installé, il n'est pas nécessaire de rester penché en avant, au contraire, il faut rester en position « moyenne ».

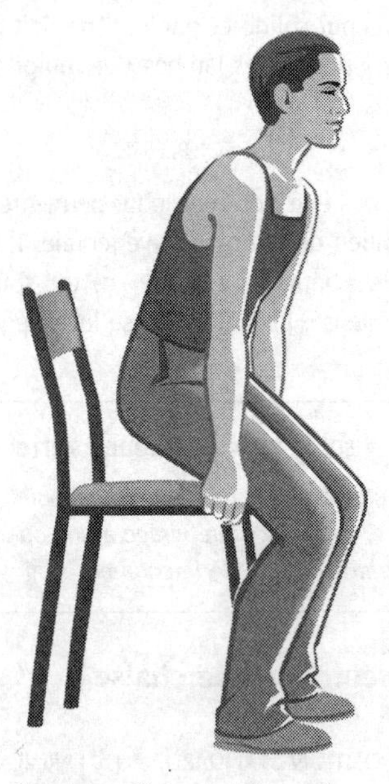

Figure 2a : S'asseoir à la parisienne

Peut-on croiser les jambes ?

C'est un faux problème. La « bonne éducation » l'interdit mais la biomécanique du dos l'autorise. Il n'y a aucun inconvénient pour le dos à croiser les jambes en position assise. Si la position est trop prolongée, elle gêne la circulation veineuse et provoque des crampes musculaires, sans gravité. Si l'on croise il faut savoir « décroiser » de temps à autre.

À L'AMÉRICAINE

C'est une position socialement incorrecte mais « biomécaniquement » correcte.

S'asseoir sur le bord de la chaise, dos appuyé sur le haut du dossier est considéré comme étant une « position avachie » et relâchée, ce qui n'est pas toléré en société (*figure 2b*). C'est pourtant une excellente façon de soutenir efficacement son dos par deux points d'appui, le rebord de la chaise et le bord supérieur du dossier. De cette façon, la colonne vertébrale est maintenue d'une façon que l'on peut comparer à un corset rigide.

Figure 2b : S'asseoir à l'américaine

Cette façon de s'asseoir évoque une attitude familière qui nous a été transmise par les films américains des années cinquante, les jambes tendues, les pieds posés sur un bureau. Elle permet l'allongement des muscles et tendons de la région postérieure des cuisses, qui est nécessaire pour optimiser le rôle du bassin dans le placement correct de l'ensemble du dos.

Elle est cependant inconfortable pour l'appui fessier car le rebord de la chaise cisaille cette région et elle est mal supportée par la région cervicale qui doit faire un effort pour maintenir la tête horizontale. Cette position ne peut être maintenue longtemps.

> **Mon conseil**
> Alternez cette position avec la position standard. Changer souvent de position évite les contraintes et donc les douleurs.

À CALIFOURCHON

Cette attitude familière évoque la bonne humeur et le plaisir de vivre. Elle est immortalisée par Marcel Pagnol, dans *Marius*.

Vous vous asseyez à califourchon (*figure 2c*), le torse et les avant-bras appuyés sur le dossier. Voilà une position excellente pour le dos qui est ainsi totalement soutenu.

> **Mon conseil**
> N'hésitez pas à retourner votre chaise pour regarder la télévision, jouer aux cartes ou rêver...

À LA SUÉDOISE

La personne est à genoux sur deux appuis, le bassin posé sur un siège incliné vers l'avant. Le siège suédois ne possède pas de dossier. On s'assied sur un support, légèrement incliné vers l'avant qui donne à la région lombaire un appui excellent en orientant le bassin dans la meilleure position possible pour le respect des courbures et la diminution des contraintes.

Le deuxième appui est pour les genoux, sur deux palettes sur lesquelles les genoux pliés sont retenus. Cela stabilise le bassin qui ne glisse pas vers l'avant.

C'est un intermédiaire entre le prie-Dieu traditionnel et le strapontin. Réglables au niveau des différents appuis, ils sont pivotants, ce qui per-

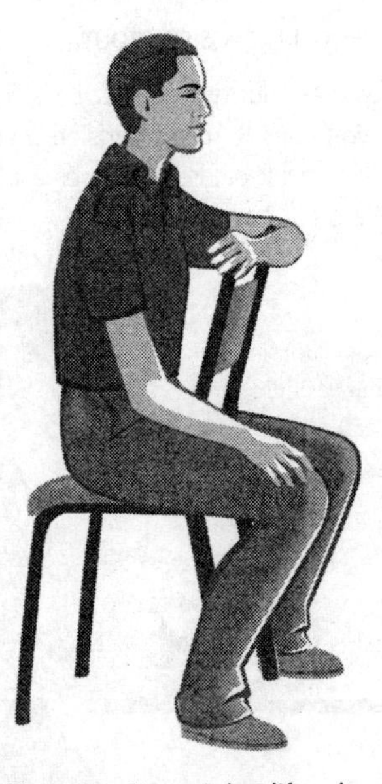

Figure 2c : S'asseoir à califourchon

met d'éviter les efforts de rotation du dos. Ce siège monté sur des roulettes est facile à déplacer d'un point à l'autre d'un poste de travail.

Son utilisation peut provoquer une gêne au niveau des genoux en cas d'arthrose associée de la rotule et une mauvaise circulation s'il existe une insuffisance veineuse avec ou sans varices.

Les Nordiques se sont rendus célèbres par leur sens du bien-être et du confort pratique.

Mon conseil

C'est un très bon moyen thérapeutique de relaxation et de décharge des contraintes de la région vertébrale. Vous pouvez y faire des poses de trente minutes.

Être assis-debout

Le bassin est adossé au mur ou posé sur un siège spécial incliné à 30° comme on en voit dans le métro parisien (*figure 2d*). Le dos ne touche pas le mur. Les deux pieds sont posés à plat sur le sol et les jambes font un angle de 30° avec la verticale.

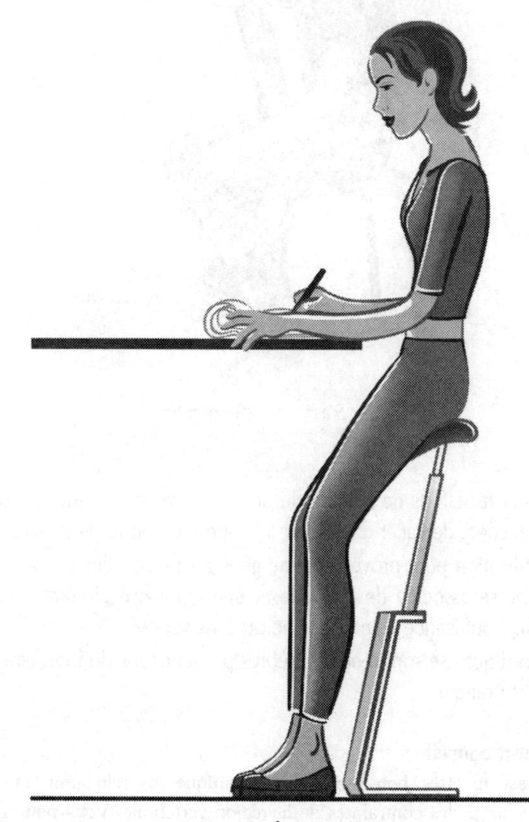

Figure 2d : Être assis-debout

Cette position est sans danger pour le dos car le bassin est incliné. Les pieds le calent en avant, comme les genoux le font avec les sièges suédois.

Mon conseil
Cette position soulage le dos.

Les sièges de bureau

Les sièges de bureau permettent un bon équilibre du dos (*figure 2e*).

Figure 2e : S'asseoir au bureau devant son ordinateur

>> Ils pivotent ce qui évite les torsions agressives.

>> Ils se règlent en hauteur. Le clavier de l'ordinateur doit être à la hauteur du nombril et l'œil à mi-hauteur de l'écran, ce qui évite de

pencher le dos en avant et de tendre le cou. Les courbures vertébrales sont respectées.

>> L'utilisation d'un support souple soulevant légèrement le poignet qui manie la souris permet de diminuer les contraintes sur le membre supérieur et donc sur les muscles de l'épaule et du dos.

Le siège de l'automobile

Entrer et sortir de la voiture

>> Pour entrer (*figure 3a*), vous vous asseyez sur le côté du siège, les pieds sur le sol à l'extérieur de la voiture.

Figure 3a : On s'assied.

>> Puis vous faites pivoter votre tronc en prenant appui avec les mains sur la portière, le siège ou sur le volant.

>> Vous calez le bassin bien au fond du siège (*figure 3b*).

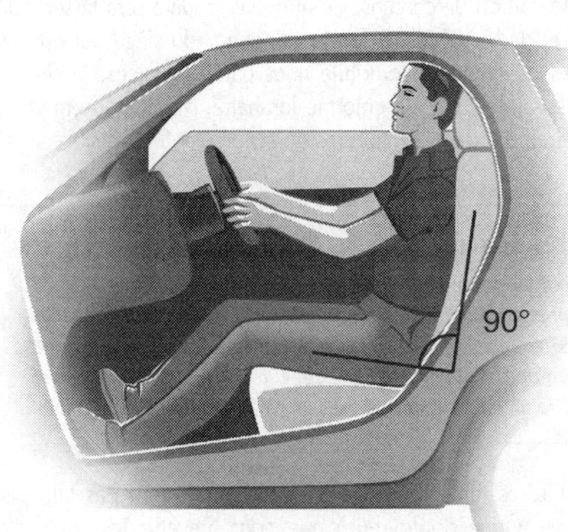

Figure 3b : On est assis.

Pour sortir, ce sont les manœuvres inverses : pivoter sur son siège, s'asseoir au bord du siège, jambes pendantes à l'extérieur du véhicule, se lever en prenant appui sur le siège, la portière ou même le volant.

Mon conseil

Faire des pauses au cours du trajet pour marcher, cela décontracte le dos et est excellent pour la vigilance.

Le dossier

Il doit être idéalement vertical à 90° et surtout attachez votre ceinture ! Le renforcement pour le creux des reins avec une « bosse » peut améliorer le confort de certains. Ce qui vous guidera sera la sensation de confort et de bien-être. La forme « baquet » du siège qui est celui des voitures de course automobile nous paraît propice à bien positionner le bassin et donc la colonne lombaire. Malheureusement, on le trouve rarement dans les voitures de série.

Les dosserets à boules des chauffeurs de taxi

Les boules avaient la réputation de réaliser un massage passif du dos qui permettait de mieux supporter les longues heures passées assises. En fait ces dosserets permettent seulement une bonne position du dos, tout comme la ceinture lombaire souple, et ont à ce titre un effet bénéfique mais ils ne sont pas indispensables.

L'appui-tête est un attribut de première utilité, non pas tant pour appuyer une nuque douloureuse que pour prévenir les effets d'un traumatisme cervical par choc arrière.

Le siège

Il doit être réglé par rapport au volant. Sa hauteur doit permettre de poser les mains sur le volant avec les épaules détendues. Les bras doivent être tendus mais souples pour ne pas avoir à effectuer des torsions du tronc. Les jambes doivent être presque allongées avec une légère flexion du genou. Lors des manœuvres pour se garer, le dos et le cou sont soumis à des contraintes que l'on peut réduire en utilisant davantage les rétroviseurs latéraux ou en installant un rétroviseur central panoramique. Si l'on déplace son tronc en même temps que son bassin lors d'une marche arrière, on réduit le risque de douleur.

LES VÉHICULES 4 × 4 TOUT-TERRAIN

Sur un terrain accidenté, il faut bloquer le bassin au fond du siège, contracter les muscles abdominaux transverses du ventre au moment des secousses et s'appuyer avec les bras bien tendus sur le haut du dossier du siège avant. De cette façon, il est possible d'amortir les à-coups au niveau du dos. L'usage d'une ceinture lombo-pelvienne souple ou d'un coussin à mémoire de forme est un moyen de prévention efficace, comme cela a été montré lors du récent Paris-Dakar en 2006.

Dans le train et l'avion

Les sièges de notre TGV si performant par ailleurs sont loin d'être satisfaisants en termes d'ergonomie du dos. Ils sont trop inclinés vers l'arrière, même si des améliorations conséquentes ont été apportées dans les nouvelles voitures. L'adjonction d'une barre d'appui pour les pieds n'est pas suffisante pour corriger cet inconvénient.

Quant aux trains express, les constructeurs ont sacrifié le dos des voyageurs, en inclinant franchement le dossier des sièges vers l'arrière sans aucune possibilité de réglage.

En avion redressez votre siège. C'est la recommandation pour l'atterrissage et le décollage. Elle vaut pour la totalité du vol. Le cale-pied est un appui utile pour contribuer à stabiliser le bassin. La position inclinée en avant est censée favoriser le sommeil.

Les sièges à éviter

Ce sont les fauteuils ou canapés faussement accueillants car trop mous, trop bas, trop profonds avec des assises trop longues. Il en est de même de certains sièges de lieux publics, métro, jardin, salles d'attente qui ont la forme d'une coque avec un fond « arrondi », sans angle, entre le siège et le dossier. On y glisse et la colonne vertébrale est mal positionnée.

S'asseoir sans siège

On peut s'asseoir :

>> sur un tabouret, les pieds au sol, le dos droit ; on peut prendre appui pour soulager le dos avec la main sur un genou ou bien sur le rebord du tabouret ;

Le penseur de Rodin est assis, le visage incliné dans la paume de sa main droite, le coude appuyé sur le genou gauche. Était-ce une position pour soulager son mal de dos ? Raymond Devos dans l'un de ses sketches a voulu penser comme le penseur, mais sans succès.

>> sur les talons à l'asiatique, cela est une bonne position pour le dos, mais difficilement supportable de façon prolongée pour les genoux ;

>> à l'orientale, la personne est assise à même le sol, les jambes en tailleur.

Toutes ces positions sont compatibles avec un bon dos que l'on soit adossé à un mur ou non. Il est également possible de « soulager » son dos en s'appuyant avec les mains sur ses genoux ou sur le sol.

Être assis dans un fauteuil roulant

Les règles du « bien s'asseoir » s'appliquent ici plus qu'ailleurs. La présence d'un mal de dos étant encore plus intolérable lorsque l'on a une difficulté ou une impossibilité à marcher. Le bassin doit être bien stabilisé. L'utilisation de supports rigides plutôt qu'en toile pour s'asseoir améliore la stabilité de l'ensemble bassin-colonne vertébrale. L'utilisation des accoudoirs est une nécessité pour les transferts du siège à un autre support et pour la stabilité latérale. Le dossier doit être droit sauf lorsque le déficit des muscles du tronc favorise la chute vers l'avant. Certains fauteuils sont spécialement profilés pour le sport.

L'art d'être debout

L'homme est debout au travail, au repos, en attente ou en déplacement.

Rentrez votre ventre

La colonne vertébrale repose sur le bassin et les membres inférieurs, elle est parfaitement adaptée à la position debout. Mais il ne faut effectuer sur elle ni contraintes excessives qui exagèrent ou inversent les courbures, ni mouvements de torsion du tronc. Les vertèbres sont emboîtées les unes dans les autres, toute torsion de la colonne vertébrale crée des tensions douloureuses sur le dispositif d'attache très sensible à la douleur. Utilisez sans hésiter la ceinture lombaire pour maintenir cette bonne position. Stabilisez la colonne en contractant les abdominaux, en rentrant le ventre, chaque fois qu'un inconfort ou une douleur du dos apparaît ou bien lorsque vous allez faire une activité à risques, soulever un objet lourd ou se pencher en avant, par exemple.

Écartez les pieds au repos

La position des pieds est essentielle pour la stabilisation du bassin et donc de la colonne vertébrale et du tronc.

S'ils sont « collés » l'un contre l'autre, la stabilité est de mauvaise qualité.

N'imitez pas les *Horse Guards* de la reine d'Angleterre à Buckingham Palace

Si les pieds sont rapprochés, l'ensemble du corps est instable et les muscles du tronc et des membres inférieurs sont contraints d'effectuer des contractions répétées de correction de la position de l'ensemble pour « retenir » le tronc et éviter la chute.

La meilleure façon d'obtenir la stabilité latérale est d'écarter les pieds (*figure 4a*), c'est une bonne position de « repos ».

Pour améliorer la stabilité antéropostérieure, on peut faire avec ses pieds un angle droit comme dans la position de l'escrimeur ou bien un angle aigu.

L'absence de parallélisme permet une meilleure résistance aux poussées antérieures, postérieures ou latérales sur le tronc.

Pliez les genoux

Cela abaisse votre centre de gravité. Ce type de position est adopté dans la plupart des sports de combat, car il assure la meilleure résistance aux poussées déstabilisantes d'un adversaire. Se déplacer de cette façon, à la façon des grands singes, est un bon moyen d'éviter les contractures excessives sur le dos. Si elle est peu seyante au quotidien, cette attitude en flexion des membres inférieurs peut être adoptée dans toutes les situations contraignantes pour le dos, telles que soulever, porter ou pousser un objet lourd.

Effectuez une fente

La fente permet d'éviter les positions de tension extrême du dos. La fente avant, analogue à celle de l'escrimeur, place une jambe en avant fléchie (*figure 4b*), tandis que le bassin se déplace en glissant en avant, le dos bien droit. Pour la fente latérale le tronc reste droit et un

Figure 4a : Rester debout.
Écartez les pieds pour augmenter votre stabilité latérale en vous appuyant avec votre main pour augmenter la stabilité antéro-postérieure.

pied glisse sur le côté droit ou à gauche, genou fléchi. L'autre pied reste fixe.

La fente permet d'attraper un objet qui est un éloigné.

Figure 4b : Rester debout.
Effectuez une fente.

Prenez un appui

► Posez la main sur une table, cela a un effet de « décharge » sur le dos, comme le ferait un corset. Lorsque l'on met le couvert, par exemple.

► Adossez-vous à un mur, le dos bien droit en fléchissant légèrement les genoux, ou sur un support légèrement incliné, appelé « assis-debout », comme il en existe dans les stations de métro.

► Accoudez-vous comme les « piliers de bar ». S'il y a un repose-pieds à la base du comptoir, utilisez-le pour poser les vôtres dessus, cela contribue à stabiliser le bassin et à diminuer les tensions sur le dos. Un changement de pied est possible. Sans entrer dans un bar, vous pouvez soulager votre dos en vous appuyant, par-devant ou par-derrière contre un mur ou tout autre support solide et en posant un pied sur un support légèrement surélevé.

Si vous travaillez debout :
– écartez les pieds sans exagération ;
– prenez appui avec l'abdomen ou le bassin contre le plan de travail pour « soutenir » le dos ou avec une main quand c'est possible pour « soulager » le dos ;
– utilisez des fentes latérales pour atteindre les objets placés à droite ou à gauche ;
– faites une fente en avant pour atteindre les objets devant vous.

Mon conseil
Utilisez vos jambes pour les changements de position car elles économisent le dos.

L'art d'être couché

Nous passons un tiers de notre temps allongés. Le plus souvent, c'est pour dormir. Il est important que, durant cette période de repos, le dos et tout particulièrement la colonne vertébrale soient au repos dans une position qui respecte les courbures vertébrales.

Choisir son lit

« Le lit doit être bien horizontal et assez résistant pour ne pas se laisser déprimer par le poids du corps[1]. »

Les mauvais matelas, les mauvais sommiers et les mauvais oreillers sont à l'origine de souffrances du dos. Certains fabricants de lits font, à juste titre, de la prévention du mal de dos un argument de vente.

Le matelas doit être « ferme » pour éviter un enfoncement excessif et la mise en position inadéquate de la colonne vertébrale. La notion de « fermeté » est vague et difficile à quantifier. Elle dépend de la taille, du poids et de l'âge. Quand on est plus âgé, les tissus sont moins épais et protègent moins bien des aspérités osseuses. Le matelas ne doit donc pas être « trop dur ». Le meilleur test est de l'essayer, de s'allonger dessus quelques minutes et d'apprécier les sensations de confort ou d'inconfort. L'épaisseur n'est pas un élément déterminant contrairement à la fermeté qui doit permettre le maintien des courbures du dos dans les limites que nous avons fixées.

► *Le sommier* supporte le matelas, il est aussi très important. Les sommiers à lattes ou même faits de simples cadres en bois (« à la japonaise ») conviennent mieux que les systèmes à ressorts trop souples et trop mous. En cas de mauvais sommier en voyage, mieux vaut placer le matelas à même le sol et dormir dans cette situation.

---

1. Kirmisson, cité par G. Berne, *Le Massage manuel théorique et pratique*, Paris, Baillères, 1914.

► *La hauteur du lit* est un aspect important. La tendance actuelle est aux lits presque au ras du sol. Les lits de nos anciens étaient peut-être un peu trop hauts. Il convient de trouver une solution intermédiaire qui ne nécessite pas d'efforts inconsidérés pour « se sortir » du lit le matin.

► *L'oreiller* est nécessaire. Nos ancêtres dormaient assis, calés par d'épais oreillers, mais nous ne pouvons pas recommander cette position pour le repos du dos parce qu'elle ne permet pas de positionner les courbures vertébrales dans la position moyenne de repos. Par contre, il faut garder un oreiller. Il doit être bien disposé de façon à combler l'espace entre la tête et le haut du dos, en position couchée sur le dos ou entre la tête et l'épaule, si l'on dort sur le côté (*figure 5a*). C'est de cette façon que les courbures de la colonne vertébrale seront dans la position de repos efficace.

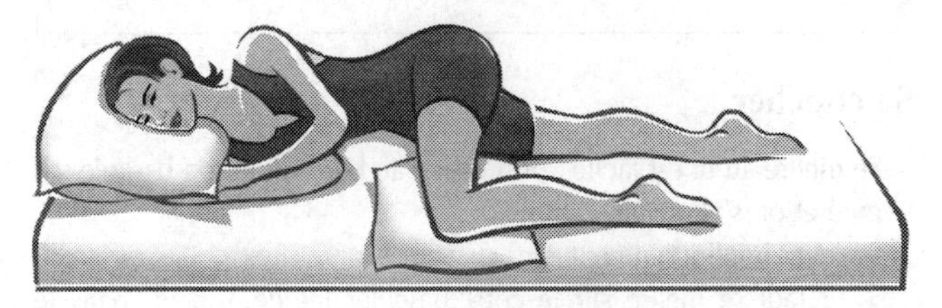

Figure 5a : Dans votre lit,
installez-vous sur le coté, l'oreiller sous la nuque.

La forme idéale de l'oreiller est quadrangulaire, allongée pour permettre le déplacement de la tête, avec une arête abrupte pour bien le loger dans le « creux » de la nuque ou bien occuper l'espace tête-épaules. En aucun cas, il ne doit se glisser sous le dos, ou sous les épaules. Il doit être assez ferme pour maintenir la tête (*figure 5b*). Il faut redouter les oreillers volumineux et mous qui se glissent sous le tronc et donnent une fausse impression de confort.

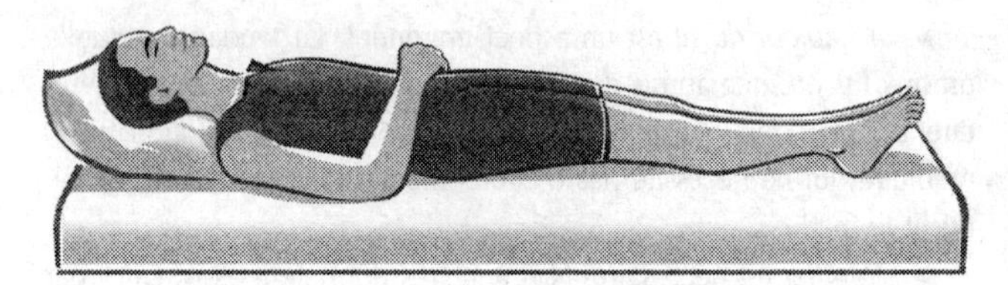

Figure 5b : Dans votre lit, si vous dormez sur le dos, vous pouvez placer un petit oreiller sous la nuque.

► *Le traversin,* avec sa forme arrondie, ne rend pas les mêmes services et est plutôt déconseillé.

Dormir sur le ventre est déconseillé car cela exagère la courbure du bas du dos.

Se coucher

Se mettre au lit est facile : on s'assied au bord du lit, on bascule sur le côté et on s'allonge.

Se lever implique deux temps :

>> il faut se mettre sur le côté, basculer les deux pieds dans le vide, redresser simultanément le tronc sur le côté du lit, en prenant appui avec la main sur le lit, bras tendus, puis s'asseoir sur le bord ;

>> à partir de la position assise au bord du lit, vous pouvez vous mettre debout en prenant appui sur les deux bras.

La vie amoureuse

Le mal de dos n'entraîne ni frigidité ni difficulté d'érection ou d'éjaculation. Il n'y a pas, non plus, de risque d'aggravation du mal de dos lors des échanges amoureux, au contraire la sécrétion d'endomorphines diminue les sensations douloureuses. Certains gestes ou certaines positions peuvent être inconfortables ou momentanément impossibles et nécessiter des stratégies particulières. Le ou la partenaire qui a mal au dos peut se mettre sur le dos ou sur le côté ou aussi rester debout quand cela est possible. On peut aussi prendre un antalgique auparavant.

6

Le dos au quotidien

La vie à la maison

Les grands principes

Quels que soient les efforts à effectuer, on peut prévenir au mieux les contraintes au niveau du dos en contractant les muscles abdominaux transverses au moment de l'effort de poussée ou de soulèvement. C'est ce que l'on appelle, en termes de rééducation, le « verrouillage lombo-pelvien ». Ensuite, en fonction de l'exercice à effectuer, on peut :

>> rapprocher de soi au maximum l'objet à transporter ;

>> fléchir les genoux pour augmenter son assise ;

>> répartir les charges de part et d'autre du dos, ainsi elles s'équilibrent et leurs effets négatifs se neutralisent. Deux paquets de poids égal de chaque côté sont plus faciles à porter qu'un seul, même plus léger.

Le port de la ceinture lombaire souple est toujours souhaitable pour un type d'effort qui est potentiellement douloureux.

Ramasser un objet au sol

► Placez-vous au-dessus de l'objet à saisir, approchez les deux pieds écartés aussi près que possible, fléchissez les genoux et saisissez l'objet (*figure 6*).

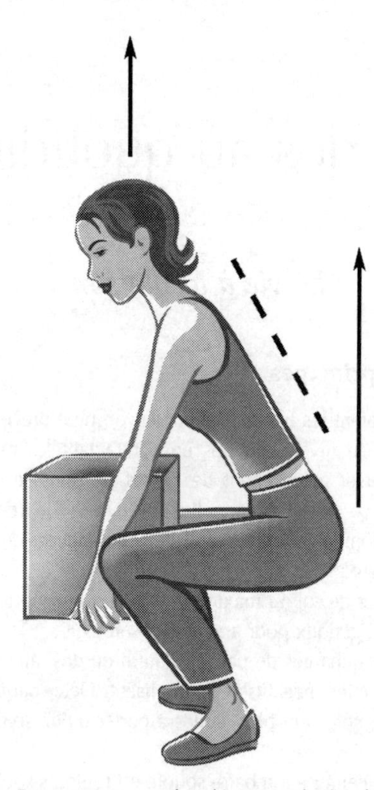

Figure 6 : Pour ramasser un objet léger au sol, pliez les genoux.

► Contractez les muscles transverses du ventre au moment de le soulever.

► Plaquez l'objet soulevé contre le corps et redressez les genoux.

S'il est trop lourd, il est possible, dans un premier temps, de s'agenouiller, de poser l'objet sur un genou, puis de se redresser en serrant l'objet contre soi.

Le principe de la brouette

Chaque fois que l'on porte ou soulève une charge, il faut l'appliquer contre son corps. En jardinage, pour soulever une charge importante, on utilise une brouette dont les bras jouent le rôle de levier et augmentent la force développée. Lorsqu'on porte une charge à bout de bras, c'est le dos qui supporte la charge importante et non la brouette.

Déplacer un objet encombrant

Lorsque l'objet est très encombrant, il faut bien choisir les prises et, au besoin, se faire aider pour éviter tout effort intempestif du dos, surtout au moment de soulever et de déposer l'objet (*figure 7*).

Pour ranger les objets ou les saisir, il faut placer son corps à la hauteur de l'objet à ranger, en pliant les jambes ou en utilisant un escabeau, plutôt que de faire des efforts d'extension du rachis dans son ensemble.

Mon conseil

Organisez votre espace en mettant à disposition les objets à déplacer et en utilisant un escabeau ou une chaise solide au cas où vous auriez à monter ces objets.

Figure 7 : Pour soulever un objet lourd ou encombrant, faites-vous aider.

La toilette et les soins du corps

Les soins du visage se font debout le plus souvent. Il est cependant préférable de s'asseoir si l'on est en période douloureuse ou si le soin est prolongé. Se raser, se laver le visage, se brosser les dents, se coiffer, ne posent guère de problèmes. Il est conseillé de prendre un appui avec une main pour soutenir le dos ou bien de s'appuyer, avec le bassin, contre le rebord du lavabo.

Prendre une douche ou un bain. Il est conseillé de s'appuyer avec les mains sur le bord de la baignoire pour y entrer et en sortir. Une barre d'appui parallèle au rebord de la baignoire est très utile et sécurisante car elle permet la prévention des chutes. Un tapis antidérapant ou une baignoire avec un fond antidérapant est souhaitable. En cas de douleurs importantes, il est préférable de s'asseoir sur une planche de bain à placer sur la baignoire.

L'usage de brosses à manche long et recourbé, ou de porte-gant à manche long, familiers aux ergothérapeutes, est une façon de limiter les contorsions du tronc pour atteindre les endroits les plus inaccessibles de notre anatomie.

Pour faire un shampoing, vous pouvez :

>> vous asseoir face au lavabo ou à la baignoire et laver les cheveux à l'aide de la pomme de douche mobile ;

>> faire le shampoing sous la douche, debout ou assis sur un tabouret ou une planche de bain placée sur les rebords de la baignoire (il en existe chez les fournisseurs d'aides techniques à l'autonomie des personnes en situation de handicap).

> **Mon conseil**
> Profitez de votre bain chaud ou de votre douche pour faire l'exercice « serrer les omoplates » en ramenant les bras derrière soi.

Les soins des jambes et des pieds comme l'épilation à la cire, le rasage ou se couper les ongles sont plus délicats pour le dos. Il est préférable de s'asseoir et de surélever les pieds en les posant sur un support ou en croisant une jambe sur l'autre.

Aller aux toilettes ne présente pas de difficulté particulière sauf pour les toilettes « à la turque ».

S'habiller

► *Mettre les sous-vêtements,* slip, caleçon, est plus facile à réaliser en position allongée.

► *Ajuster un soutien-gorge* est possible en l'attachant devant soi et en le faisant tourner autour du buste ensuite, avant de passer les bretelles.

► *Enfiler des bas, des chaussettes ou des collants* implique d'éviter de se pencher en avant. Le mieux est de s'asseoir et de croiser une jambe sur l'autre. En cas de difficultés importantes, il est possible d'utiliser des aides techniques : enfile-bas, chausse-pied à manche long. Le conseil d'un ergothérapeute est ici très utile.

► *Pour enfiler un pantalon ou une jupe,* il est préférable d'utiliser la position assise ou allongée en cas de douleurs.

► *Pour lacer ou boucler ses chaussures,* une bonne façon de faire est de placer le pied chaussé sur un rebord d'une chaise. Il est possible aussi d'utiliser des chaussures sans lacet et sans fermeture Éclair.

► *Le port des talons hauts* n'est pas recommandé car il entraîne une exagération de la courbure des « reins » qui peut être esthétique, mais qui augmente les contraintes. Réservez-les pour les circonstances où l'élégance est de mise.

► Retirer ses vêtements, ses chaussures, ses appareillages implique les mêmes stratégies que pour l'habillage.

Les repas

► *Préparer les repas* nécessite d'avoir un plan de travail à la bonne hauteur, c'est-à-dire au niveau de votre nombril. Vous êtes le plus souvent debout et un appui peut être pris en mettant le bassin ou l'abdomen au contact du rebord. Vous pouvez aussi vous appuyer à l'aide de votre main. Les fentes avant ou latérales sont ici très utiles.

► *Les transports d'aliments ou de récipients lourds* (casseroles d'eau par exemple) impliquent de porter les objets, de préférence à deux mains, sans les éloigner du corps pour éviter les effets de bras de levier. Au besoin, effectuez ces transferts en plusieurs étapes, en fractionnant les charges, si cela est possible. Il en est de même pour mettre le couvert et servir les repas.

► *Lorsqu'il s'agit de sortir ou de ranger un objet en hauteur,* il ne faut pas hésiter à utiliser un escabeau ou une chaise.

► Éplucher des légumes se fait en position assise.

► *Prendre le repas* peut se faire debout, mais le plus souvent on s'assied. Il est difficile d'utiliser certaines façons de s'asseoir que nous avons décrites « à l'américaine », à califourchon pour des questions de convenance sociale. Prenez un siège « classique », le bassin bien calé au fond du siège, le dos « droit ». Vous pouvez poser les coudes sur la table ce qui est efficace pour soutenir un dos endolori.

► *Pour passer un plat ou se servir,* il faut pivoter sur sa chaise ou mieux se mettre debout, mais éviter de « tordre son dos ».

Les escaliers

La montée et la descente d'escaliers en cas de crise douloureuse nécessitent de se tenir à la rampe pour se hisser dans la montée et freiner la descente.

Entretenir sa maison

Cela est souvent considéré comme difficile pour le dos.

► *Pour balayer le sol,* le manche du balai doit être suffisamment long pour permettre de le manier sans contrainte, y compris dans les recoins. Pour ramasser la poussière, utilisez une pelle à manche long et accroupissez-vous ou mettez un genou au sol, tout en poussant les « saletés » avec le balai.

► *Un aspirateur léger,* sur roulettes, facile à déplacer est utile. Il doit être facile à ranger, sans trop d'encombrement, pour éviter les efforts inutiles. Le remplacement des sacs à poussière doit se faire en s'accroupissant ou bien en s'asseyant à côté de l'appareil.

► *Si vous souhaitez laver le sol,* utilisez la serpillière à la main, accroupi par terre ou mieux avec l'aide d'un balai. Il existe des éponges montées sur un support avec un manche et équipées d'un système d'essorage manuel qui permettent de ne pas utiliser la serpillière.

► *Pour cirer le parquet,* vous pouvez utiliser une cireuse électrique, mais si vous le faites « à la main » et « au pied », il est préférable de s'agenouiller pour étaler la cire, et de se mettre debout pour frotter et faire briller, avec un bon chiffon placé sous le pied. Cela sollicite le dos, donc utilisez votre ceinture lombaire en la mettant pendant la période d'activité au-dessus des vêtements.

Faire le ménage sollicite fortement les membres supérieurs et tout le dos. Le mieux est de le faire sans dépasser la hauteur de l'épaule. N'hésitez pas à faire des fentes et à vous accroupir. Si vous devez aller plus haut, utilisez un escabeau. Mieux vaut travailler assis, en bonne position du dos.

► *Charger une machine à laver*, un four, un réfrigérateur ou un placard peut nécessiter de s'accroupir pour éviter les contraintes. Mettez un genou à terre, l'autre pied au sol, genou à angle droit. Cette position est stable et permet de poser des objets sur le genou avant de les saisir ou de les mettre en place.

► *Pour faire le lit*, il faut s'accroupir ou se mettre à genoux pour changer les draps et les border. L'usage des couettes simplifie les tâches. Si l'on doit le pousser, on se trouve dans la situation *Déplacer un objet encombrant*. La bonne attitude est de s'accroupir ou de se mettre à genoux.

► *Pour laver la vaisselle à la main*, il faut disposer l'égouttoir de telle sorte qu'il ne soit pas nécessaire de faire des rotations du tronc, on peut aussi les éviter par des fentes latérales. Les fentes avant permettent d'atteindre les objets placés devant soi ou de les y poser. L'usage de la machine à laver la vaisselle supprime bien des stations devant l'évier.

► *L'entretien du linge et des vêtements* nécessite de respecter les précautions de rapprochement de la charge et du corps.

— Transportez le linge dans un panier collé contre vous.

— Placez les cordes à linge ou le séchoir à bonne hauteur. Il faut éviter de « tordre le tronc » et de tirer sur la région lombaire. L'utilisation d'un séchoir suspendu dans une salle de bains avec la possibilité de le faire monter, après l'avoir chargé de linge à sécher, est une excellente solution.

► *Le repassage* avec son « va-et-vient » et le mouvement du bras sollicite le bas et le haut du dos. Il faut donc :

— choisir un fer à repasser léger ;

— ajuster le plan de travail à votre taille – la hauteur de la planche doit permettre le maintien de la position physiologique moyenne du dos ;

— prendre appui avec la main sur la table ;

— écarter les pieds et utiliser les techniques de fentes avant ou latérales pour accompagner le mouvement du tronc et du bras. D'autres repassent en position assise. Dans ce cas, un siège pivotant est préférable pour éviter les torsions du tronc.

Mon conseil

Contractez vos abdos dès que vous faites un effort et n'hésitez pas à porter votre ceinture lombaire et à faire des pauses. Elles peuvent être mises à profit pour effectuer des exercices tels que l'exercice « serrer les omoplates » avec étirement de bras en arrière, en rentrant le cou.

Voyager

Les transports

► *Dans l'autobus,* si vous êtes assis, il ne faut pas hésiter à prendre appui sur le dossier avant pour amortir les secousses ou bien lors des changements de vitesse. Si vous êtes debout, écartez les pieds en position asymétrique, cela augmentera votre stabilité. Aidez-vous des barres verticales et des poignées placées au-dessus des têtes. Cela vous permettra de résister aux freinages et aux accélérations. Rentrez le ventre au moment de situations instables.

► *Dans le métro,* les trains se déplacent rapidement d'une station à l'autre. Utilisez les appuis pour stabiliser le dos et asseyez-vous si possible.

Si vous utilisez les transports en commun, l'obtention d'une carte *Station debout pénible,* délivrée par les maisons du handicap peut être justifiée dans certaines formes sévères de mal de dos sensibles aux vibrations. Elle vous donnera accès aux places assises.

► *Dans le train,* reposez vos pieds sur les cale-pieds s'ils conviennent à votre taille car ils stabilisent le bassin. Les dossiers ne sont pas vraiment adaptés, comme on l'a vu. Vous pouvez utiliser un coussin pour vous caler le bas du dos.

► *Dans l'avion,* le dossier doit être constamment relevé, les pieds sont bien calés. Le bassin est placé bien au fond du siège et les oreillers fournis sont utiles pour caler la tête. Le dossier a besoin d'être étendu pour dormir pendant un vol de nuit ce qui n'existe qu'en première classe. L'étroitesse de l'espace alloué aux voyageurs en classe économique constitue la principale situation de handicap.

► *L'utilisation des chariots roulants* est un bon moyen de « décharger son dos » de contraintes évitables. Les bagages à roulettes sont également bien pratiques. Poser ses bagages lors de l'enregistrement est un moment délicat qui peut nécessiter une manœuvre en deux temps : poser le bagage sur le rebord, puis le faire glisser sur le tapis roulant.

Porter un sac

► *Le sac à dos* est probablement celui qui exerce le moins de contraintes sur le dos, à l'exception du fait de porter sur sa tête (« à l'africaine » mais aussi « à la portugaise » ou « à la bretonne », naguère). Les charges s'appliquent sur la voussure haute du dos et les forces s'exercent selon une direction de forte tolérance du système mécanique du dos.

► *Les « bananes »* que l'on attache autour de la ceinture sont bien adaptées pour obtenir une bonne répartition des charges.

► *Un sac de chaque côté* est une situation plus favorable que de porter un sac d'un seul côté, même s'ils sont un peu lourds. On peut aussi, avec un seul sac, le changer de côté, de temps à autre. Les dispositifs des porteurs d'eau des Asiatiques avec une barre en travers des épaules et un baluchon bien rempli aux extrémités est une bonne solution.

► *Porter sur ses épaules* un enfant, un sac de blé ou de ciment... est excellent pour le dos et un peu moins pour le cou. Les sacs portés en bandoulière sont excellents pour économiser le dos.

► *Porter devant soi*, un bébé par exemple, n'est pas conseillé car cela exagère la cambrure lombaire.

► *Le caddie* permet de déplacer des charges assez lourdes, des courses par exemple, sans contrainte excessive.

La généralisation des grandes surfaces oblige à manipuler de façon répétée des objets, ce qui nécessite de bien maîtriser les principes des fentes avant et latérales ainsi que les accroupissements.

► *Le chargement dans le coffre de la voiture* se fera en plusieurs temps : soulever le pack de bouteilles, le poser sur le rebord du coffre et, dans un deuxième temps, le déposer au fond du coffre, en pliant les genoux, en prenant appui avec le bassin contre l'arrière de la voiture et en rentrant le ventre. La manœuvre inverse permettra d'extraire l'objet du coffre.

Le dos et l'école

Les enfants passent en moyenne mille heures par an sur les bancs de l'école, ce qui a été mis en cause pour l'apparition du mal de dos. Plusieurs facteurs doivent être pris en compte pour prévenir des situations qui deviendraient handicapantes.

Le mobilier scolaire

Il est encore parfois inadapté, ne serait-ce que parce que la taille ou l'âge des enfants est variable, or souvent le mobilier est prévu pour des enfants de plus petite taille.

Les règles que nous avons décrites sur la manière de s'asseoir s'appliquent, bien entendu, à l'activité scolaire. Il est important que les élèves aient la possibilité de changer de position, ce qui peut éventuellement poser des problèmes de discipline.

Les cartables trop lourds

Le sac à dos, le sac banane, sont des bonnes solutions pour porter les livres. On voit également de plus en plus d'enfants disposer d'un cartable à roulettes qu'ils traînent derrière eux, c'est une excellente solution.

L'environnement psychologique

L'ambiance dans les écoles, la violence qui parfois s'y installe, le stress des examens, le sentiment de désintérêt qui gagne beaucoup de jeunes aujourd'hui, sont l'expression d'un malaise scolaire qui peut se manifester aussi par un mal de dos.

La gymnastique et le sport

L'activité sportive est un moment privilégié pour prévenir le mal de dos. Les cours de gymnastique sont l'occasion d'apprendre les gestes qui permettent de protéger le dos, mais nous voyons trop souvent des exercices mal faits qui ne font que contribuer au maintien ou à la création d'un mal de dos : mouvements de flexion, torsion forcée du dos, rotation des bras, redressement en position couchée, abdominaux avec les membres inférieurs au ras du sol, etc. La souplesse et la jeunesse des tissus chez l'enfant protègent contre les contraintes excessives, mais une activité gymnique ne doit jamais provoquer de douleurs du dos.

Il reste que l'enfant n'est pas tout le temps à l'école, à la maison bien des occasions exigent aussi d'être assis. Les séances d'ordinateur impliquent l'utilisation d'un siège à roulettes pivotant et d'une bonne adaptation de la hauteur du clavier selon la taille de l'enfant. La « Game Boy », la télévision, la lecture, nécessitent une position correcte du dos. La famille doit être vigilante.

La nécessité d'informations en milieu scolaire

Des opérations de sensibilisation aux problèmes de dos dans les écoles ont été effectuées auprès des instituteurs, des éducateurs sportifs et des équipes médico-scolaires. Elles utilisent un matériel pédagogique avec des jeux et des bandes dessinées.

Il faut avoir une attitude très positive, oubliant volontairement une grande partie du discours médical actuel en présentant le mal de dos non pas comme un mal qu'il faut « vaincre » tout comme on va vaincre le tabagisme, le sida ou les maladies cardio-vasculaires, etc., mais expliquer que les douleurs du dos sont d'abord parfaitement évitables chez tout le monde.

Il faut bannir tout discours inquiétant, la fragilité vertébrale ou discale, la malformation, etc. Ce type d'explication induit, qu'on le veuille ou non, une notion de fragilité constitutionnelle qui dans l'esprit des jeunes ne peut que s'aggraver avec l'âge alors que c'est tout le contraire, en ce qui concerne le mal de dos.

À cette démarche de dédramatisation il paraît judicieux d'envisager au cours des heures de classe des pauses pendant lesquelles les exercices d'étirement des muscles des cuisses et des exercices de contraction des muscles paravertébraux pourraient être assurés en position assise ou debout.

Le dos et le travail

La meilleure façon de tuer un homme c'est de l'empêcher de travailler, de le payer à ne rien faire.

Félix LECLERC, poète québécois

Le mal de dos est à l'origine d'un très gros handicap pour l'économie française, en termes de journées de travail perdues, d'exclusion du milieu du travail, de reconversions plus ou moins réussies. Il apparaît comme la première cause d'invalidité des moins de 45 ans.

Prévenir le mal de dos au travail

L'extension du mal de dos dans le monde du travail, véritable épidémie des temps modernes, est surprenante quand on regarde l'évolution de la pénibilité des tâches. La mécanisation quand ce n'est pas la robotisation, la diminution de la durée du temps de travail, sont des facteurs qui devraient avoir un effet bénéfique, si l'on compare la situation actuelle à celle de l'ouvrier autrefois.

Globalement on peut considérer deux sortes de personnes au travail aujourd'hui, celles qui vivent en face à face avec un ordinateur et celles qui fournissent des efforts physiquement importants sollicitant leur dos.

Si leur dos est identique, l'approche de leur situation de travail n'est pas la même, sous l'angle de la prévention du mal de dos. On sait que le fait de rester des heures assis au volant d'un poids lourd expose au mal de dos.

L'extension récente de la notion de maladie professionnelle contribue à stigmatiser le mal de dos comme étant une évolution inéluctable de certains métiers perçus comme « pénibles ».

L'adaptation aux postes de bureautique

Elle a connu de très grandes avancées tout particulièrement pour l'usage des ordinateurs. L'utilisation de sièges réglables en hauteur (ce qui évite de se pencher en avant), pivotants (ce qui évite les torsions si néfastes pour le dos), sur roulettes (ce qui permet des déplacements sans incliner le tronc), est généralement suffisante. Le dossier est accessoire et peut se réduire à une « main d'appui » réglable qui joue un rôle plutôt de « rappel proprioceptif » que d'adossement. Un cale-pied est très conseillé pour mieux stabiliser le bassin. Bien entendu, l'écran doit être lisible et un déficit visuel compensé pour éviter tout effort de tension du cou et du dos pour mieux lire. Une règle absolue est de changer de position toutes les heures, soit en déplaçant son bassin, soit en se levant quelques minutes.

Certains métiers comme infirmières, aides-soignants, ambulanciers, réanimateurs, auxiliaires de vie, travailleurs de chantier (surtout s'il y a des vibrations), agriculteurs, marins-pêcheurs, militaires, manutentionnaires impliquent, à des titres divers, des sollicitudes contraignantes du dos. Une éducation spécifique pour ces professions apprenant la façon correcte d'effectuer les gestes professionnels est ici nécessaire. Le port d'une ceinture lombaire, à l'instar du casque ou des chaussures de protection, est indiqué dans certains de ces métiers.

L'impact de l'accident du travail sur le dos

L'accident du travail donne droit à des avantages temporaires, maintien du plein salaire, gratuité des soins, protection contre le licenciement. L'attitude médicale trop souvent inappropriée et sans résultat contribue à pérenniser une situation aggravée par les conditions mêmes de la législation des accidents du travail.

► *L'accidenté* craint de perdre des avantages au moment de la consolidation et de la reprise du travail, alors que persistent des douleurs. La sensation d'être incompris, suspecté de simulation ou d'être considéré comme « mental », ajoute à la frustration lors de la reprise du travail et fait craindre une aggravation ou une perte de son emploi par inaptitude.

► *Les médecins-conseils* sont parfois peu enclins à prendre en compte les facteurs psychosomatiques, cela contribue à installer des situations victimaires et conflictuelles difficiles à gérer et à résoudre.

► *La vision « surmédicalisée »* d'un trop grand nombre de médecins du travail fait que des personnes valides et aptes sont écartées de certains postes sous le prétexte d'une « lésion discale » dont le rôle n'est pas démontré dans le mal de dos en question. La fiche de poste avec orientation vers un poste « adapté » est, dans ce cas, bien souvent une feuille de licenciement, le poste recherché n'existant pas dans l'entreprise.

► *Le médecin traitant* ne contribue pas toujours à faire évoluer positivement la situation. Avoir une modification radiologique banale de la colonne vertébrale, comme une scoliose parfaitement équilibrée, sans aucune manifestation douloureuse ne doit plus être une cause d'exclusion d'un poste ou du travail. L'arrêt de travail désinsère le patient de son milieu professionnel, lui rendant un mauvais service alors qu'il pense l'aider. Il faut maintenir la personne au travail avec l'aide de médications, d'une ceinture lombaire, voire d'un lombostat.

Trois attitudes ont été comparées en Finlande : maintien au travail sous traitement, arrêt de travail sous traitement, arrêt de travail et kinésithérapie. C'est le premier groupe qui a eu le meilleur résultat en terme de guérison.

Les arrêts de travail seront limités au plus strict nécessaire pour éviter un déconditionnement au travail. La complication la plus grave du mal de dos reste l'exclusion du monde du travail avec ses répercussions sur la subjectivité (sentiment d'utilité et d'exclusion) et la vie sociale.

> Il faut éviter dans la mesure du supportable de s'arrêter de travailler lorsqu'on a mal au dos.

L'APPORT RELATIF DES EXAMENS COMPLÉMENTAIRES

Les études publiées dans les revues médicales internationales qui montrent l'absence de corrélation entre des images radiologiques banales et le mal de dos n'ont pas encore l'impact nécessaire dans le grand public. La notion que l'on puisse voir à l'intérieur, pénétrer les secrets du corps qui sont sous la peau est profondément ancrée, alors que précisément c'est sous la peau, dans le cas du mal de dos, que l'on peut découvrir la cause du mal de dos.

Le corps médical veut « s'approprier ce corps exploré » ; cette invasion des explorations que l'on appelait naguère « complémentaires » ou « paracliniques » fait écran à la clinique à proprement parler qui est la base de la relation éthique fondamentale entre un médecin et son patient, c'est-à-dire l'écoute, la palpation, l'examen fonctionnel et l'analyse situationnelle. Le diagnostic lésionnel de la quasi-totalité des maux de dos est clinique et les examens radiologiques sont alors inutiles.

> Les examens radiologiques sont inutiles au diagnostic dans la quasi-totalité des cas de mal de dos. Il faut restituer à l'examen clinique toute sa place.

LE RÔLE DE L'ENTREPRISE, CHANGER LE CONCEPT POUR MIEUX ÉDUQUER

De grandes entreprises (SNCF, EDF, AP-HP) et les services de médecine du travail ont mis en place des programmes de formation. Les résultats ne sont pas à la hauteur des espérances et le mal de dos sévit toujours.

Des changements de comportement gestuel sont cependant apparus : le fait de plier les membres inférieurs et non pas le dos, pour soulever un objet est communément répandu. Nous proposons un triple objectif aux patients qui nous consultent :

>> Faire comprendre, démédicaliser et rassurer. L'abandon des conceptions alarmistes, le mécanisme de survenue des douleurs et un

discours rassurant positif sont absolument nécessaires pour sortir un travailleur de cette ornière où il risque de rester définitivement.

>> Apprendre le « bon usage » et l'« entretien » de son dos, en toutes circonstances au travail, dans la vie quotidienne et au cours des loisirs. Il est important de ne pas isoler le travail comme étant le seul endroit où l'on peut « se faire mal au dos » si l'on veut éviter de développer une répulsion vis-à-vis de son travail.

>> Trouver pour chaque microsituation professionnelle le geste qui convient et qui « protège le dos ».

La rééducation à l'effort, au mieux par un programme de réentraînement commencé en groupe et poursuivi en individuel à domicile prévient la désinsertion et prépare le retour au travail pour ceux qui n'y sont plus. Ce réentraînement doit être suffisamment intensif, un jour sur deux. Il sera plus efficace, surtout sur la sensation de fatigue, si l'on commence par quelques exercices intenses mais sans essoufflement, brefs, ne dépassant pas une minute avec des espaces doubles ou triples de repos. Cela permet un déconditionnement à l'effort.

Il est difficile d'apprécier l'efficacité d'un traitement seulement par la diminution de l'absentéisme au travail du fait de l'incertitude et de la restriction de l'emploi aujourd'hui. Par contre, il faut garder à l'esprit que l'insatisfaction au travail est l'un des quatre critères avec le fait de fumer, un état un peu dépressif et le fait d'avoir eu, l'an passé, un mal de dos, permettant de dire qu'il y a un risque accru de survenue d'une douleur du dos. Le travail et l'adaptation au travail apparaissent bien comme l'une des clés de la guérison du mal de dos.

Nous estimons que le changement d'attitude au travail viendra du changement du regard que l'on porte sur le mal de dos.

Quels sont les bons sports pour le dos ?

Il n'y a pas si longtemps les sports, en particulier l'équitation et le tennis, étaient contre-indiqués chez les personnes ayant mal au dos. On s'est aperçu que la réduction de l'activité physique avait un effet désastreux sur les personnes souffrant d'un mal de dos, contribuant largement à sa pérennisation et favorisant l'exclusion sociale, particulièrement du monde du travail. Exclusion du sport et exclusion du travail vont de pair dans un contexte d'évitement de l'effort. Cette prétendue nocivité de l'effort physique puise son origine dans le rôle d'efforts mal contrôlés dans la survenue des douleurs. En fait les personnes qui ont mal au dos, si elles vivent bien leur situation de handicap, sont aussi bien adaptées à l'effort physique que celles qui ne souffrent pas. Qu'est-ce qui fait que les personnes, ayant un mal de dos, soient si mal adaptées à l'effort physique ? Probablement les facteurs sont-ils multiples et complexes surtout lorsqu'il s'agit d'effort au travail. L'effort sportif peut jouer un rôle de déblocage et un rôle motivant, comme nous l'avons observé dans bien des cas.

Bien entendu, les gestes sportifs, comme tous les autres gestes pratiqués de façon intensive, peuvent provoquer des lésions par accidents sportifs des « parties molles » mais aussi osseuses. Ce sont surtout les professionnels ou bien ceux qui pratiquent intensément à un haut niveau de compétition qui sont concernés.

La natation

Elle a toujours la faveur du corps médical, qui fait souvent cette remarque : « supprimer le sport sauf la natation ». Pourtant la brasse et surtout la brasse papillon sollicitent fortement le dos en hyperextension et peuvent y produire des contraintes qui provoquent ou entretiennent des douleurs. Un renforcement des muscles du dos dans ce cas est conseillé. Toutes les autres formes de nage et de sport d'eau sont bénéfiques pour le dos. La nage sur le dos, la nage indienne conviennent très bien pour les plus douloureux. Le développement récent de l'aquagym offre de nouvelles possibilités de réadaptation pour les personnes dosalgiques.

Le vélo

C'est un très bon moyen de sollicitation globale à l'effort. Nous l'utilisons de façon préférentielle, pour les séances de réentraînement à l'effort. Il peut être pratiqué, sur route, à la maison, ou en salle d'éducation physique.

L'appui sur le guidon pour le conducteur et sur le conducteur pour le passager sont des moyens de décharge souvent insuffisants pour le dos. La distance selle-guidon doit être réglée pour permettre de maintenir le dos en rectitude bras tendus ou bras fléchis. Le port d'une ceinture est fortement recommandé pour les longs trajets sur un vélo d'appartement, de rééducation ou de salle de sport.

Pour pousser le vélo en marchant, il est nécessaire de contracter les muscles transverses.

Pétanque, croquet et sports tranquilles

Ils améliorent le contrôle du dos et les synergies avec les membres inférieurs. On peut ramasser la boule de pétanque avec un aimant placé au bout d'une cordelette, ce qui évite les flexions du dos. Il en est de même pour le croquet et les palets bretons.

Le tennis

Le tennis présente des avantages certains pour favoriser la coordination des mouvements du tronc et des membres inférieurs, du tronc et des membres supérieurs. Il sollicite les muscles postérieurs du tronc et, à ce titre, améliore leur capacité à réagir à toute sollicitation du dos.

Bien entendu, il faut faire le revers avec ses jambes et pas en tordant son dos. Il faut ramasser les balles avec le bord de la raquette, le pied, ou bien s'accroupir. L'usage d'une ceinture souple est là, un bon moyen « éducatif ». Elle pourrait même être conseillée dans les écoles du tennis pour mieux positionner tronc et membres inférieurs.

Lors des mouvements forcés vers l'arrière du tronc, lors du service par exemple qui pour être plus efficace impose une extension maximale du rachis, une fracture par « hypercontrainte » peut se produire au niveau postérieur de la vertèbre. Cela modifie les conditions mécaniques de la colonne vertébrale et peut entraîner un glissement d'une vertèbre sur une autre.

Des modifications de ce type, y compris un glissement vertébral (spondylolisthésis), ne constituent pas une contre-indication absolue aux sports à forte sollicitation vertébrale. Par contre, on peut considérer qu'il y a une relative fragilisation qui implique que les conseils de prévention des contraintes excessives au niveau du dos qui sont bonnes pour tous sont particulièrement indiqués dans ces cas-là. L'utilisation d'une ceinture lombaire est probablement une bonne indication pour prévenir ce risque d'incident sportif.

Le cheval

C'est probablement le sport le plus décrié par le monde médical et paramédical. La combinaison d'une interprétation erronée le plus souvent du mal de dos (l'écrasement discal) et d'une méconnaissance totale de l'équitation. Bien monter est tout le contraire de faire du « tape-cul » et le style John Wayne, raide sur son cheval, n'est pas le style recommandé dans les clubs équestres.

Le cheval est un merveilleux instrument de rééducation et de réadaptation, un véritable courant d'« équithérapie » s'est développé. Tous les muscles intervenant dans la statique du dos sont sollicités avec ce formidable élément de rétrocontrôle (ou « feed-back ») qu'est le cheval, du fait de sa réponse ou non à la sollicitation par les cuisses du cavalier ou les rênes à condition que les hanches et le bassin soient bien positionnés. Lors du pas, les mouvements du bassin qui accompagnent ceux du cheval constituent un excellent exercice des sensations proprioceptives. Ce sont ces mêmes mouvements du bassin qui peuvent être utilisés en kinésithérapie. Curieusement le même kinésithérapeute qui les fait réaliser dans son cabinet déconseille parfois à son patient de monter à cheval.

Le trot et le galop bien conduits n'ont, le plus souvent, aucun inconvénient pour le dos du cavalier. Un cas limite pourrait être représenté par celui qui a des modifications osseuses de la région basse de la colonne vertébrale. On se trouve ici dans une situation analogue à celle décrite pour le joueur de tennis.

Nous avons eu à rééduquer des cavaliers souffrant d'un mal de dos, l'un d'eux est remonté à cheval équipé, au début, d'un lombostat en fibre de verre, échancré à l'arrière pour lui permettre de s'adapter à la forme de la selle.

Le golf

Le golf est un sport très en vogue actuellement. Il introduit une dimension sportive sans violence et sans désir de vaincre, le golfeur jouant plutôt par rapport à lui-même que contre les autres. Là aussi le terme de handicap est introduit de façon simpliste, toujours pour les non-pratiquants, on retient avant tout la frappe de la balle et le geste symbolique du joueur qui l'accompagne d'un long mouvement emportant dans un seul élan le club, les membres supérieurs, le tronc et les membres inférieurs. Un tel geste bien exécuté ne peut être la cause d'un mal de dos. Bien au contraire, il sollicite précisément toutes les structures musculaires ligamentaires qui sont à entretenir pour éviter le mal de dos. Un échauffement musculaire à l'aide des exercices que nous préconisons et notamment « bomber le torse » est certainement un bon moyen de prévention mais aussi d'amélioration de la qualité du geste du sportif.

Les sports de glisse et nautiques

La planche à voile sollicite parfaitement les zones sensibles au contrôle du bassin et du tronc par les mouvements de correction du bassin et du tronc pour garder l'équilibre et se diriger. Elle constitue une véritable rééducation proprioceptive du dos.

Les sports de glisse sur l'eau ont les mêmes effets positifs.

La voile permet aussi une excellente activité proprioceptive, mais il est conseillé de soulager son dos avec les membres supérieurs quand on veut faire contrepoids à la gîte du bateau en pratiquant le « rappel ».

L'aviron, la godille, l'usage des pagaies pour le kayak ou le canoë, constituent d'excellents exercices pour le tronc et le bassin.

Les sports de combat

C'est en nous inspirant de la position des membres inférieurs dans ces sports que nous avons pris beaucoup d'idées sur la meilleure façon d'utiliser les jambes pour protéger son dos et améliorer son équilibre. Ils sont donc particulièrement intéressants pour acquérir une assise corporelle efficace.

7

Sept exercices pour un dos efficace et sans douleur

Renforcer les sensations du dos et tonifier les muscles

L'objectif de la rééducation que nous proposons vise le renforcement des sensations, les capteurs proprioceptifs et le développement de la force musculaire.

Il s'agit de mettre en éveil les multiples récepteurs de notre dos, à l'origine des douleurs, pour permettre une réaction rapide et harmonieuse chaque fois que nécessaire. À l'intérieur des muscles, des tendons et des ligaments qui unissent les vertèbres entre elles, des capteurs nous renseignent, en permanence, sur l'état de leur contraction, des tensions auxquelles ils sont soumis, des déplacements effectués (direction, vitesse, etc.). Ces informations permettent une autorégulation permanente de l'activité des autres muscles du tronc pour effectuer une activité adaptée et efficace. Elles renseignent également les autres parties du corps, la tête et le cou, les membres supérieurs et inférieurs, de façon à réaliser des adaptations efficaces des positions respectives des différentes parties du corps pour réaliser des mouvements harmonieux.

Le travail sur les muscles est statique et intermittent. Il permet de contracter puis de relâcher pendant quelques secondes un muscle, sans déplacement des parties du corps sur lesquelles il intervient.

Être très musclé n'est pas suffisant pour ne pas avoir mal au dos. Ne pas être musclé ne veut pas dire que l'on aura nécessairement mal au dos.

Les muscles soutiennent la colonne vertébrale à la façon des haubans pour le mât d'un navire. Une bonne musculature du dos et des abdominaux n'est pas un facteur déterminant pour prévenir le mal de dos, mais elle contribue au maintien d'une position de bon équilibre.

Les abdominaux sont les stabilisateurs de la colonne vertébrale quand nous sommes en position debout, mais pas en position assise. Les muscles droits antérieurs et les muscles obliques ont plutôt un rôle moteur, ils entraînent une flexion en avant du tronc pour les premiers et une rotation du tronc pour les seconds. Les transverses de l'abdomen contribuent à maintenir une sangle abdominale tendue, ce qui est très utile sur le plan physiologique pour prévenir la constipation par exemple et sur le plan esthétique pour avoir un ventre plat.

Naguère on conseillait de contracter les muscles fessiers pour stabiliser le bassin en arrière et de contracter les abdos en avant pour fixer la colonne vertébrale. Théoriquement c'est bien, mais pratiquement, c'est impossible si l'on veut soulever un objet lourd en pliant les jambes. Il est suffisant de contracter les abdos qui doivent donc être toniques.

Les salles de musculation proposent des appareillages qu'il faut utiliser à bon escient et éviter les contraintes excessives sur le dos. Les appareils de stimulation électrique abdominale renforcent les abdominaux, mais leur effet est insuffisant sur le mal de dos.

Les personnes de constitution chétive ne doivent pas être complexées, elles peuvent parfaitement « être en paix » avec leur dos.

7 exercices à effectuer tous les jours

Nous avons sélectionné 7 exercices simples, complémentaires, faciles à exécuter et sans aucun risque. Ils ont pour objectif d'améliorer le tonus et la musculature du dos et des membres inférieurs. Le programme est conçu pour être réalisé en moins de quinze minutes. Les exercices peuvent être effectués isolément et certains même dans les transports en commun, dans sa voiture ou au travail de façon discrète. Les 2 premiers sont les plus importants, ils nécessitent moins de cinq minutes.

Exercice 1
Bombez le torse pour décontracter le haut du dos

Il s'agit de solliciter les muscles trapèzes (*figure 8*) qui s'attachent sur le cou, les omoplates et le dos. Ces muscles positionnent les membres supérieurs dans l'espace et sont particulièrement exposés à la survenue de contractures douloureuses qui cèdent à la chaleur, aux massages et au stretching, l'alternance d'une contraction forte puis d'un relâchement rapide.

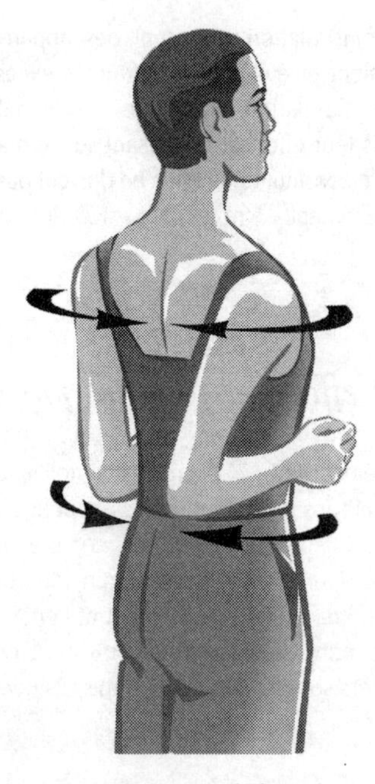

Figure 8 : Décontracter le haut du dos.

Objectifs

— Améliorer les sensations et la réactivité musculaires pour une utilisation plus harmonieuse et moins contraignante de l'ensemble des muscles du dos.

— Prévenir ou faire disparaître les contractures à l'origine des douleurs musculaires.

Comment faire ?

En position assise ou debout, le dos est droit, les coudes fléchis sont tirés en arrière, les omoplates sont serrées l'une contre l'autre, la tête est bien droite et l'on regarde devant soi. Le mouvement se fait progressivement, sans à-coups jusqu'au maximum des contractions musculaires en comptant jusqu'à cinq. Le relâchement est rapide sans être brutal. On compte jusqu'à cinq pendant la période de repos. On fait l'exercice trois fois de suite. Une variante consiste à hausser les épaules en rentrant la tête dans les épaules, ce qui sollicite les muscles du cou et les relaxe.

Mes conseils

>> C'est l'exercice le plus efficace et le plus simple à faire. Nous recommandons de le faire tous les jours au moins une fois. Il peut être répété dans la journée, surtout lors des périodes de station assise prolongées (ordinateur, automobile).

Exercice 2
Renforcez les cuisses en fléchissant les genoux

L'exercice (*figure 9*) a pour objectif de muscler les cuisses, en particulier le quadriceps et la hanche, et de développer le sens de position des genoux et de l'ensemble membres inférieurs-tronc.

Objectifs

— Donner l'habitude de fléchir ses genoux pour éviter de *plier* le dos chaque fois que la situation exige d'atteindre un endroit bas.

— Le faire sans risque de chute surtout chez les sujets plus âgés lors d'un fléchissement ou d'un accroupissement.

— Renforcer les muscles des cuisses et des hanches et faciliter l'usage des fentes latérales.

Comment faire ?

Debout, le dos bien droit, pliez légèrement les genoux jusqu'à 30°, ce qui correspond aux amplitudes lorsque l'on marche à une vitesse

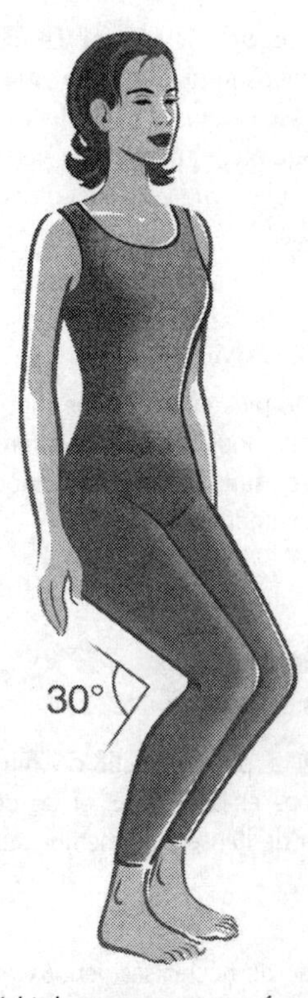

Figure 9 : Fléchir les genoux pour renforcer vos cuisses.

moyenne et remontez. Les bras sont le long du corps et on ne décolle pas les talons. On recommence dix fois. L'exercice peut être fractionné ou répété quatre à cinq fois par jour pour un résultat plus rapide.

Mes conseils

>> Lors de l'exercice, il n'est pas nécessaire d'effectuer une flexion complète des genoux, 30° suffisent.

>> Il est, par ailleurs, souhaitable d'éviter les flexions trop importantes qui exposent à des pressions excessives sur la rotule et qui pourraient provoquer des douleurs et, au pis, l'endommager lorsqu'il y a une fragilité (arthrose, arthrite, tendinite...)

>> L'exercice peut se faire en prenant un léger appui avec les mains, sur un dossier de chaise, par exemple, ou le dos contre un mur, par exemple.

Exercice 3
Étirez le dos à l'aide des bras et des jambes

Objectifs

— Solliciter les chaînes musculaires situées le long du dos pour augmenter leurs capacités à s'adapter efficacement aux diverses positions et mouvements du dos.

— Étirer les muscles situés le long de la colonne vertébrale et les décontracter.

Comment faire ?

Se placer à quatre pattes sur le sol (*figure 10*), le visage vers le sol pour éviter de redresser le cou. Un bras est tendu devant soi à l'horizontale, la jambe de l'autre côté est également tendue. On maintient cette position en comptant jusqu'à cinq ou mieux dix. Ensuite on inverse la position des bras et des jambes : bras droit-jambe gauche, bras gauche-jambe droite. L'exercice est répété cinq fois pour chaque côté.

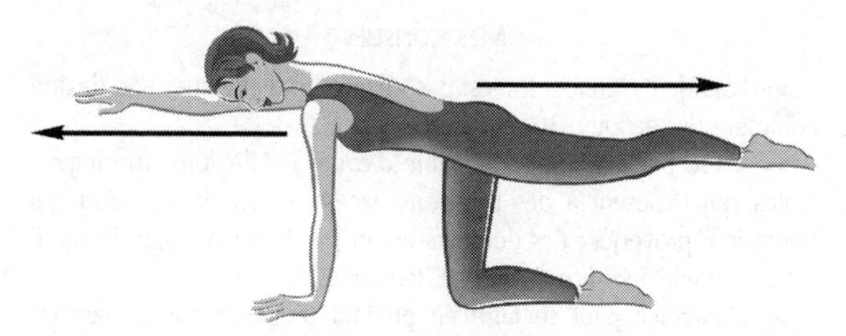

Figure 10 : Étirer l'ensemble du dos.

Mes conseils

>> Ne pas étendre bras et jambe du même côté sous peine de risquer la bascule.

>> Un des exercices est toujours plus difficile d'un côté au début.

Exercice 4
Contractez les abdos

La contraction des muscles transverses (*figures 11a et 11b*) va permettre de solidariser la partie basse de la colonne vertébrale lombaire, la plus mobile, avec le bassin qui, lui, est fixe. C'est le verrouillage lombo-pelvien.

Objectif

— Protéger l'un des segments du dos les plus exposés aux contraintes douloureuses.

Comment faire ?

En position assise ou à quatre pattes. Dans un premier temps on remplit ses poumons d'air ; la bouche est ouverte, puis on souffle en rentrant le ventre en contractant les muscles transverses que l'on peut sentir en mettant la main sur le ventre. C'est comme si l'on soufflait des bougies d'anniversaire sur un gâteau. L'exercice est répété trois à cinq fois de suite quatre fois par jour au moins.

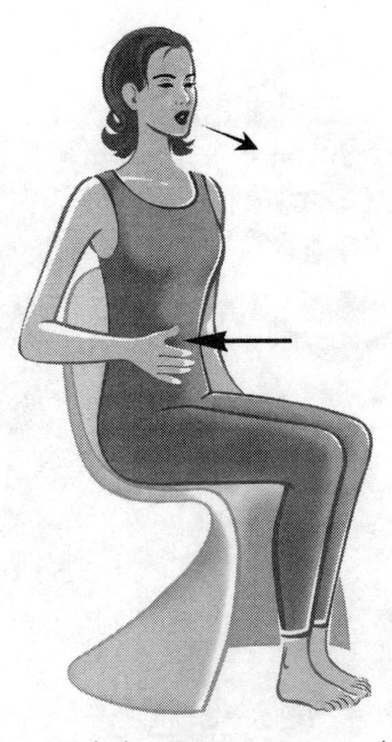

Figure 11a : Muscler le ventre. Expirer en rentrant le ventre.

Mes conseils

>> Prenez l'habitude de contracter les muscles transverses de l'abdomen le plus souvent possible.

>> Attention à ne pas faire cet exercice trop vite, cela pourrait entraîner une sensation de tête qui tourne.

>> Contractez systématiquement vos abdos lorsque vous soulevez ou poussez un objet lourd, un meuble, une voiture en panne, ou lors de secousses importantes…

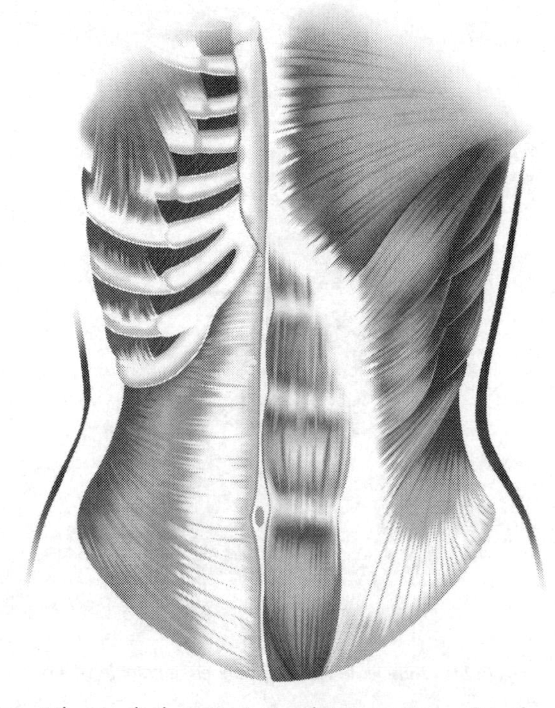

Figure 11b : Muscler le ventre. Le muscle transverse apparaît sur la partie gauche du dessin. En le contractant, on maintient le bassin dans une position qui soulage le bas du dos. La contraction du muscle grand droit sur la partie droite favorise le ventre plat.

Exercice 5
Pédalez

Objectif

— Solliciter l'ensemble de la sangle abdominale sans aucun risque de provoquer ou d'accentuer le mal de dos.

Comment faire ?

Couché sur le dos (*figure 12*), un coussin sous la nuque, les cuisses sont placées à la verticale du tronc formant un angle droit avec lui. L'exercice consiste à pédaler doucement, genoux fléchis, en oscillant de 15 à 20° autour de l'angle droit. Des séries de dix pédalages par jour sont conseillées, davantage si l'on veut avoir un ventre plat.

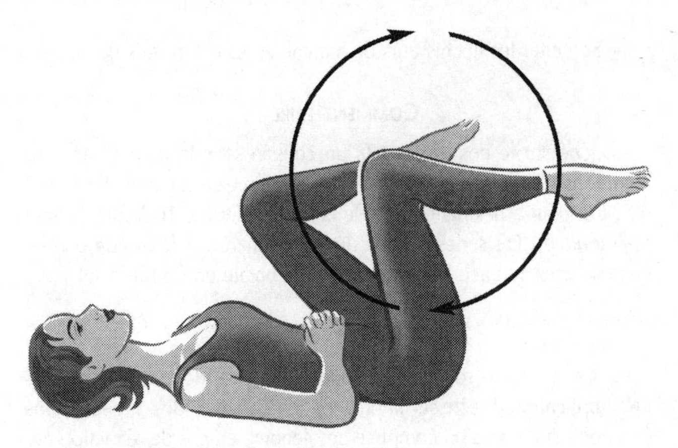

Figure 12 : Pédaler avec vos jambes.

Mes conseils

>> Les muscles qui s'attachent sur le bassin sont aussi sollicités, mais ils ne jouent pas un rôle direct comme les précédents dans la prévention du mal de dos. C'est pourquoi cet exercice est facultatif.

>> Il peut être pratiqué sans risque même si l'on a un peu mal au dos ou des rétractions des muscles postérieurs des cuisses. Dans ce cas, on l'effectue les jambes fléchies, le dos bien à plat.

Exercice 6
Faites des battements

Objectifs

— Solliciter les muscles droits de l'abdomen qui vont du thorax au bassin.

— Solliciter les fléchisseurs de hanche et les extenseurs de cuisse.

Comment faire ?

Couché sur le dos (*figure 13*), un coussin sous la nuque, ramenez les talons contre les fesses et tendez les jambes, hanches fléchies à 90°. On réalise des battements de faible amplitude, 10 à 20°, jambes bien tendues. Les séries sont de dix mouvements. À la fin, on plie les genoux et on replace les jambes à l'horizontale en rasant le sol.

Mes conseils

>> Cet exercice sollicite fortement la paroi abdominale et n'a pas une implication directe sur la prévention du mal de dos. Il peut même être nocif si l'extension complète des genoux, en cas de rétraction des muscles postérieurs de la cuisse, n'est pas possible. Il est déconseillé si l'on est obligé de cambrer les reins.

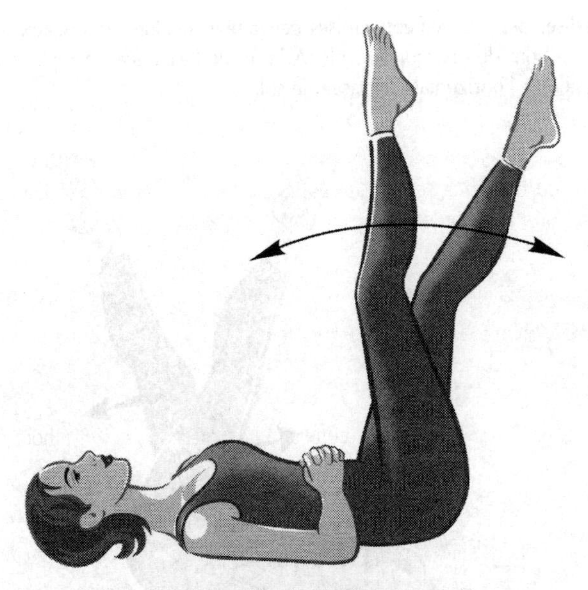

Figure 13 : Effectuer des battements.

Exercice 7
Faites des ciseaux

Objectifs

>> Solliciter les muscles obliques de l'abdomen.

>> Solliciter les muscles adducteurs, ceux qui rapprochent, et abducteurs, ceux qui écartent les cuisses de la hanche.

Comment faire ?

Couché sur le dos (*figure 14*), un coussin sous la nuque, les jambes sont fléchies et ramenées, genoux et hanches fléchis, talons au contact des fesses. On positionne les jambes verticalement avant de réaliser des mouvements croisés des jambes tendues en ciseaux. Les séries sont de dix mouvements. À la fin de l'exercice on replace les jambes à l'horizontale en rasant le sol.

Figure 14 : Effectuer des ciseaux.

Mon conseil

Cet exercice est comme le précédent déconseillé en cas de rétraction des muscles postérieurs de la cuisse.

Travailler la posture

Les muscles postérieurs de la cuisse permettent de fléchir la jambe sur la cuisse. Ils ont tendance à se rétracter, à se raccourcir, parce que l'on est souvent assis et que, dans cette position, leurs insertions se rapprochent ce qui occasionne des tensions douloureuses de la cuisse. Ces rétractions sont fréquentes, elles touchent plus de la moitié de nos consultants.

Ces douleurs sont souvent prises, à tort, pour des sciatiques.

Les buts de l'exercice

>> Acquérir une souplesse des cuisses et des hanches.

>> Bien positionner le tronc vertical.

Comment faire ?

>> Debout, on pose la jambe tendue sur une chaise ou un muret, les orteils ramenés vers l'avant (*figure 15*). On doit sentir une tension non douloureuse des muscles postérieurs de la cuisse. Le maintien de la posture doit être progressif, sans à-coups pour ne pas exercer des contraintes trop brutales au niveau des tendons.

>> Il est souhaitable de ramener le pied vers soi pendant la posture, de façon à étirer, en même temps le muscle triceps, situé sur le devant de la cuisse, dont les rétractions peuvent aussi avoir des incidences néfastes sur l'ensemble des membres inférieurs.

>> On reste dans cette position une minute.

>> On réalise la même posture avec l'autre jambe. Si vous vous sentez instable, vous pouvez prendre appui avec votre main sur le dossier d'une chaise.

>> Il est souhaitable pour obtenir un meilleur résultat de répéter cet exercice deux ou trois fois dans la journée.

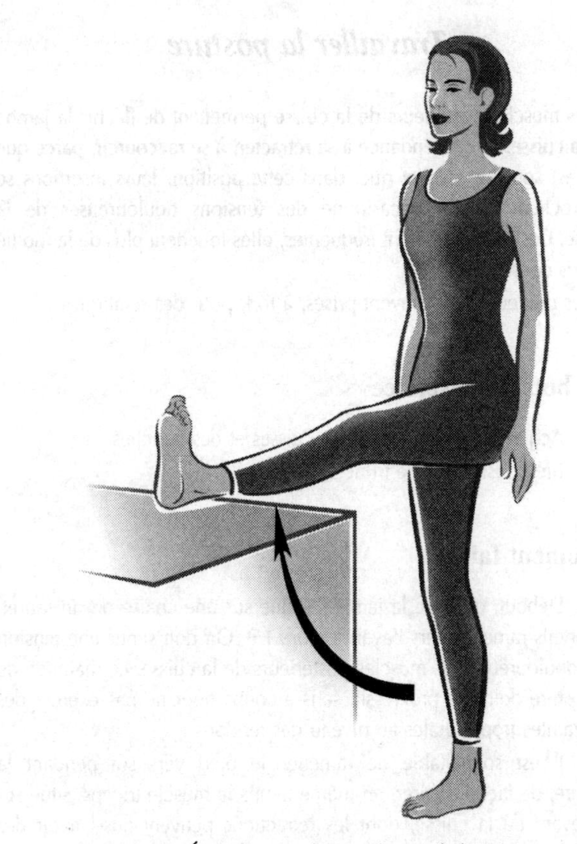

Figure 15 : Étirez les muscles postérieurs de la cuisse.

>> Au fil des jours, on augmente progressivement la hauteur du support sur lequel le pied est posé. L'objectif est d'arriver à former un angle droit entre la jambe tendue et la jambe fléchie.

>> Se pencher légèrement en avant augmente la tension sur les muscles étirés ; deux à quatre mois sont nécessaires pour effectuer

l'exercice sans gêne. Pour maintenir ce bénéfice, effectuez-le une ou deux fois par semaine.

Mes conseils

>> Évitez de rester assis, genoux et cuisses fléchis trop longtemps, et allongez vos jambes chaque fois que possible. Mettre les pieds sur son bureau est une excellente habitude.

>> Levez-vous de votre siège régulièrement pour dégourdir vos jambes.

>> Nager est excellent et vous pouvez faire cet exercice de posture dans l'eau.

En résumé,
les 7 exercices de la prévention du mal de dos

1. Serrez fortement les omoplates en rentrant le cou 3 fois en comptant jusqu'à 5, relâchez et comptez jusqu'à 5, recommencez.
2. Pliez à 30° les deux genoux et redressez-vous 10 fois.
3. Étendez, à quatre pattes, un membre supérieur devant soi et le membre inférieur de l'autre coté et comptez jusqu'à 10. Inversez le mouvement. Répétez-le 5 fois pour chaque côté.
4. Soufflez « à fond » en rentrant le ventre, bouche ouverte, à quatre pattes ou bien en position assise ou debout, 3 à 5 fois.
5. Pédalez doucement 10 fois, couché sur le dos, genoux fléchis.
6. Effectuez 10 battements, couché sur le dos, jambes tendues.
7. Effectuez 10 ciseaux, couché sur le dos, jambes tendues.

8

Traiter la douleur

Fais que mes malades aient confiance en moi et en mon art, et qu'ils suivent mes conseils et mes prescriptions. Éloigne de leur lit les charlatans, l'armée des parents aux mille conseils et les gardes qui savent toujours tout, c'est une engeance dangereuse qui fait échouer par vanité les meilleures intentions.

Prière de Maimonide de Moïse Ben-Maïmon, Herbert LE PORRIER *Le Médecin de Cordoue* (1973).

Le mal de dos, un échec pour la médecine ?

Des générations de médecins se sont enfermées dans la conception séduisante mais réductrice d'une cause ostéo-articulaire, radiologiquement objectivable, principalement discale, des douleurs du dos. Ils ont établi, selon ce mécanisme, des schémas thérapeutiques allant du médicament et du repos à la chirurgie, en passant par la kinésithérapie, les infiltrations et le lombostat. On sait, aujourd'hui, que ces approches thérapeutiques sont souvent inadaptées. Les meilleurs arguments, en ce sens, sont les échecs répétés et la montée, qui semble inexorable, du nombre de personnes se plaignant de leur dos.

Cet échec a favorisé, par dépit, le développement de toutes sortes de pratiques de soins, souvent plus proches du charlatanisme que de la médecine. Elles ont pour caractéristiques communes d'aborder l'aspect symptomatique du problème ne fournissant aucune solution de fond, ce qui contribue, indirectement, à la pérennisation des douleurs qu'elles sont censées combattre.

Face à une telle situation, il convient de tirer la conclusion des échecs, de réfléchir, de relever le défi et de proposer une démarche médicale cohérente.

Le rôle du médecin n'est pas d'être complaisant et laxiste. Il doit utilement conseiller son patient et ne pas encourager des pratiques sans fondement scientifique réel, inutilement coûteuses, voire dangereuses.

La difficulté, compte tenu de ce qu'est le mal de dos, est que l'on peut obtenir des résultats avec n'importe quoi. D'abord parce qu'un très grand nombre de maux de dos guérissent spontanément. Ensuite, parce que la part psychosomatique étant très présente dans ce domaine, l'acceptation d'une nouvelle voie thérapeutique pour s'en sortir est déjà l'amorce d'une amélioration.

Cela dit, il est tout de même préférable que ce soit des médecins, dont c'est le rôle, qui conduisent vers une guérison durable. Mais pour y arriver, ils doivent modifier leurs idées et leurs croyances et changer leur mode de relation avec ceux qui en souffrent.

Au total, on leur demande d'être moins mécaniciens et lecteurs d'images et davantage cliniciens. Ils ne doivent pas oublier surtout d'être humains, compréhensifs jusqu'à l'empathie, partageant véritablement les épreuves que traversent leurs malades.

Quand on aborde le traitement du mal de dos s'installe une très grande ambiguïté : s'agit-il du traitement ponctuel du symptôme douloureux ou bien du traitement de fond incluant la prévention du mal de dos ?

Les principes

Avant tout dédramatiser

Il convient, après un interrogatoire et un examen clinique précis, de rassurer et de ramener le mal de dos à ce qu'il est le plus souvent, un syndrome de contraintes ou *strain injurie* sans gravité. Ces contraintes sont localisées sur les ligaments d'attache postérieurs, rachidiens et, surtout, pelviens mais aussi sur les insertions musculaires et les capsules articulaires postérieures. Des contractures musculaires, souvent secondaires à ces agressions ligamentaires, potentialisent les manifestations douloureuses, surtout chez des sujets prédisposés comme les personnes spasmophiles. Le facteur psychosomatique est très prégnant. Le mal de dos révèle souvent une situation de conflit ou de stress au travail, en famille ou autre. Il peut être symptomatique d'authentiques états dépressifs qui devront être dépistés et traités comme tels. Nous n'avons pas voulu faire un catalogue de tout ce qui se pratique aujourd'hui pour soigner un mal de dos. Nous avons retenu ce qui est efficace et non dangereux.

Cela commence par l'explication du mécanisme de survenue du mal de dos et de son évolution. Il faut aussi corriger les positions et les mouvements et adapter les gestes du quotidien, professionnels ou sportifs, aux conditions mécaniques imposées par l'architecture du dos. Une logique et une hiérarchie des traitements symptomatiques ou préventifs doivent être mises en place. L'amélioration ou la guérison sont la règle dans un traitement bien conduit.

Réduire les contraintes

Ceci reprend ce que nous avons vu précédemment :

>> Respecter les courbures vertébrales en adoptant une position moyenne dans toutes les activités. Une éducation fonctionnelle (s'asseoir, être debout, être couché, déplacer son corps) et situation-

nelle (repasser, conduire une voiture, soulever un sac de ciment, etc.) est nécessaire de manière générale et personnalisée.

>> Étirer les muscles ischio-jambiers, situés à l'arrière des cuisses, pour corriger ou prévenir une mauvaise position du bassin et permettre le bon positionnement des courbures de la colonne vertébrale.

>> Entretenir les sensations perçues au niveau des muscles postérieurs du dos pour les rendre aptes à réagir à toute situation entraînant une variation des contraintes.

>> Mobiliser les techniques de soulagement du dos par des appuis des bras, des jambes, du bassin ou du tronc.

>> Apprendre à « protéger » son dos dans les situations à risque, soulèvements, poussées, par la contraction des muscles transverses de l'abdomen et par l'usage séquentiel ou permanent d'une ceinture lombaire souple.

L'école du dos

Elle est pour nous l'élément clé de la démarche de réadaptation car elle a une portée pédagogique pratique irremplaçable. Elle se fait idéalement en groupe (cinq à dix personnes) avec un animateur médecin-rééducateur, ergothérapeute ou kinésithérapeute, psychomotricien ou animateur sportif. Nous préconisons trois séances de deux heures séparées d'une semaine ou deux chacune. Un document pratique simple distribué aux participants appuie les démonstrations pratiques et les explications de l'animateur. Son caractère interactif et comportemental n'est pas le moindre de ses intérêts. Cette méthode est peu coûteuse et très efficace. Une « mini-école du dos » peut être réalisée par un médecin, lors des consultations avec des démonstrations, des conseils et des exercices fondamentaux de prévention, ou par un kinésithérapeute.

La rééducation à l'effort peut faire appel à une pratique sportive régulière ou à un entraînement sur cycle ergométrique (en salle et au domicile). Un rythme de deux ou trois séances par semaine est suffisant. Vingt séances au total sont conseillées. La poursuite régulière du sport ou du cycle d'appartement consolidera le résultat.

Le programme type

Il est inspiré de ce que nous avons mis en place au centre hospitalier Henri-Mondor à Créteil dès 1979.

Nombre de participants : 5 à 10

Nombre de séances : 3

Durée des séances : 2 heures

Étalement dans le temps : 3 à 6 semaines

Matériel nécessaire : des chaises, un siège suédois, une table ordinaire, un lit ou un plateau de rééducation de Bobath, des tapis de gymnastique au sol, un tableau noir ou un *paper board,* des sacs de sable de deux, trois et cinq kilos (deux de chaque sorte). Selon les activités : un aspirateur, un fer à repasser, un ordinateur, une voiture, un lit d'hôpital... Un dispositif d'évaluation sur papier et un livret rappelant les principes les plus importants et leurs applications pratiques.

Déroulement des séances.
Première séance

>> recueil des données par le « doscope », avec les conseils de l'animateur et des informations sur le mal de dos, son évolution, ses mécanismes de survenue. Présentation du livret qui servira de guide ;

>> présentation de l'anatomie et de l'architecture du dos avec ses implications pratiques ;

>> affirmation du principe de la position moyenne comme une règle intangible ;

>> application à la position assise avec démonstration et réalisation par tous les participants ;

>> démonstration et application des exercices à pratiquer debout et assis. Ils seront à réaliser chez soi quotidiennement.

Deuxième séance

>> la position couchée : le matelas, l'oreiller, la position sur le dos ou sur le côté, le lever ;

>> la position debout : la position des membres inférieurs, les fentes ;

>> la pratique des 7 « exercices piliers » debout, à quatre pattes, sur le dos et de la posture d'étirement des muscles postérieurs de la cuisse (ischio-jambiers) est prescrite au quotidien pendant trois mois, puis deux fois par semaine ou par périodes selon l'évolution.

Troisième séance

>> soulever un objet placé à terre, la position des pieds, le « verrouillage » musculaire abdominal, les diverses stratégies pour diminuer les contraintes sur le dos. Applications à des activités particulières des participants (ménage, conduite d'un véhicule, utilisation d'un ordinateur...) ;

>> révision générale des exercices.

Une évaluation médicale, en consultation, est faite avant la première séance et trois mois après la fin de l'école du dos, pour évaluer les progrès et donner des conseils supplémentaires personnalisés.

La prévention en situation

C'est dans le cadre de vie que doit se faire, très en amont, la prévention. C'est en tenant compte du contexte de vie professionnelle ou sportive que doivent se faire la rééducation et surtout la réadaptation. L'éducation du dos doit être entreprise dès l'école et doit se prolonger dans l'entreprise en lien avec la médecine du travail.

Soulager les douleurs du dos

Les médicaments

Il ne faut pas hésiter à utiliser des médicaments pour lutter contre le mal de dos. La persistance des douleurs favorise leur pérennité par une véritable mémorisation des sensations qui redeviennent intenses même pour des stimulations minimes.

Il existe trois familles de médicaments qui ont chacune leurs indications : les antalgiques, les anti-inflammatoires, les décontracturants.

Les antalgiques ou antidouleur

L'Organisation mondiale de la santé a classé les médicaments de la douleur en trois groupes selon leur puissance d'action.

Les trois niveaux des antalgiques de l'OMS

– Les antalgiques de niveau I (non morphiniques) regroupent un ensemble non homogène de médicaments tels que le paracétamol, l'aspirine, les anti-inflammatoires non stéroïdiens ou AINS.

– Les antalgiques de niveau II (morphiniques faibles) : codéine, dextropropoxyphène, Tramadol® et opium à dose faible ; le plus souvent, ils sont utilisés en association avec les antalgiques de niveau I.

– Les antalgiques de niveau III : les morphiniques forts.

Dans le mal de dos ce sont les antalgiques de niveau I ou de niveau II qui sont indiqués. La prescription d'antalgiques de niveau III doit rester très exceptionnelle et pour une durée brève. Les prescriptions habituelles préconisent, selon les types de douleurs et pour une durée déterminée, les médicaments suivants :

>> Le paracétamol (Dafalgan®, Doliprane®, Efferalgan®...) est utilisé en comprimés de 500 mg, 1 à 6 par jour selon l'intensité de la douleur.

>> L'aspirine (Aspégic®, Catalgine®, Solupsan®) est moins utilisée du fait des risques de brûlures et d'hémorragies gastriques. Elle se révèle efficace dans certaines douleurs aiguës à la dose de 3 g par jour au maximum chez l'adulte, 2 g chez les personnes les plus âgées.

>> Le paracétamol 500 mg est associé à 30 mg de codéine dans l'Efferalgan® codéiné ou Dafalgan® codéiné et se prend à la dose de 1 à 6 comprimés par jour. D'autres présentations (Compralgyl®) associent le paracétamol et seulement 10 mg de codéine.

>> 30 mg de dextropropoxyphène associé à 400 mg de paracétamol sont contenus dans le Di-Antalvic® et le Propofan®, la dose varie de 1 à 4 gélules par jour.

>> Le Tramadol® 50 mg (Topalgic®) peut être pris à la dose de 1 à 6 comprimés par jour.

>> Le Tramadol® 37,5 mg est associé à 325 mg de paracétamol dans l'Ixprim®, et pris à la dose de 1 à 4 comprimés par jour.

Mieux vaut utiliser les antalgiques au coup par coup en adaptant leur posologie à l'apparition des phénomènes douloureux. Ils n'ont pas d'effet préventif à proprement parler. Ils permettent de maintenir une activité physique dont on sait qu'elle a un effet positif à moyen ou à long terme sur les douleurs.

Des médications anxiolytiques ou à effet antidépresseur peuvent être associées si nécessaire.

L'indication des antalgiques de niveau III de l'OMS devrait rester exceptionnelle dans le mal de dos et pour des durées déterminées aussi courtes que possible. Les produits peuvent être pris par la bouche sous forme de comprimés (Sevredol® à libération immédiate, ou Skénan LP®, Moscontin® à libération prolongée) ou de gélules (Actiskénan®) ou bien de médications absorbées à travers la peau (patchs). Il existe aussi d'autres molécules : Fentanyl® (Durogésic® à libération prolongée) ou Butaprénorphine (Temgesic® en comprimés placés sous la langue). Tous ces produits peuvent poser des problèmes de tolérance du fait des effets secondaires : ralentissement des activités digestives, difficultés à vider la vessie, aggravation de difficultés respiratoires existantes, chute tensionnelle, ralentissement de l'activité intellectuelle, dépendance qui implique un sevrage progressif.

Nous observons couramment des excès avec l'emploi des morphiniques et des médications issues de la thérapie psychiatrique. Ces médicaments ne sont pas sans effets secondaires nocifs sur la vigilance, l'idéation, l'affectivité et l'état musculaire. De véritables états de dépendance peuvent s'instaurer créant une « deuxième maladie ». Ces excès sont le reflet de l'insuffisance d'utilisation des moyens thérapeutiques efficaces de médecine physique.

Les anti-inflammatoires

Leur efficacité sur l'inflammation locale a été largement démontrée. Ils sont de deux sortes : les anti-inflammatoires non stéroïdiens et les corticoïdes.

Les anti-inflammatoires non stéroïdiens

Ils ont une action sur l'inflammation mais aussi sur les douleurs à des doses relativement faibles. Les complications principales sont les accidents digestifs et cutanés. Les produits nouvellement mis sur le marché (anticox2) sont mieux tolérés. Ils peuvent être associés à des antalgiques. Leur durée d'action varie, ce qui est pratique pour les classer.

Les anti-inflammatoires à demi-vie courte sont actifs pendant six heures. On peut conseiller une gélule à 50 mg de kétoprofène (*Profénid*®) matin, midi et soir, au moment des repas. Il faut arrêter le traitement en cas de brûlures de l'estomac et ne pas l'associer aux médicaments qui fluidifient le sang, les antiagrégants plaquettaires (dérivés de l'aspirine, notamment).

Les anti-inflammatoires à demi-vie moyenne ont une efficacité de douze heures environ. On peut conseiller une gélule de célécoxide (*Celebrex*®) à 100 mg matin et soir au moment d'un repas. Arrêter en cas de brûlures de l'estomac ou de selles noires faisant craindre une hémorragie digestive.

Les corticoïdes

Leur usage par voie générale dans le mal de dos concerne presque exclusivement les formes avec douleurs sciatiques ou crurales intenses avec ou sans déficit musculaire et/ou sensitif.

Nous les préconisons très volontiers sous la forme d'injections dans les ligaments superficiels douloureux de la colonne vertébrale, du bassin et de la partie haute du fémur ainsi que pour les tendinites du bassin. Le corticoïde est associé à un anesthésique local et l'injection est répétée une fois dix à vingt jours plus tard. La disparition de la douleur et de la gêne fonctionnelle est souvent immédiate, ce qui constitue un argument diagnostic très démonstratif pour le patient comme pour le médecin.

Ils sont aussi utilisés en injection intrarachidienne épidurale (à l'intérieur du rachis, en dehors des méninges) avec un succès inégal, dans les souffrances des racines qui sont, en fait, très rares, au contraire des idées reçues. Nous ne les utilisons pas.

Les myorelaxants

Ce sont des décontracturants qui agissent sur la contraction musculaire persistante, la contracture douloureuse, réactionnelle à la douleur de la lésion locale voisine. Divers médicaments peuvent contribuer à la sédation douloureuse par leur action spécifique sur le muscle. Ils entraînent, parfois, une somnolence. Leurs effets spécifiques s'additionnent avec ceux des anti-inflammatoires et des antalgiques. Ils ont la faveur actuellement des centres antidouleur.

Ils sont prescrits à la dose d'un comprimé de Tétrazépam® (Myolastan®) à 50 mg le soir au coucher. La dose peut être augmentée si l'effet sur les contractures musculaires est insuffisant. On peut aussi utiliser deux comprimés matin et soir de Thiocolchicoside® (Coltramyl®).

LES PSYCHOTROPES

Ces médicaments peuvent être utilisés en association avec les médications précédentes. Ils comprennent les antidépresseurs (Laroxyl®), les neuroleptiques (Tercian®, Nozinan®), les carbamates (Équanil®), les benzodiazépines (Rivotril®), etc.

Les ceintures et les corsets

Ils doivent gêner ou limiter les positions et les mouvements « à risque » pour le dos.

LEUR MODE D'ACTION

>> Ils incitent à positionner la colonne vertébrale dans la position de la plus grande efficacité et de la meilleure protection contre les contraintes abusives. Ils rappellent en permanence la position de meilleure utilisation du dos, tout particulièrement dans la région lombo-abdomino-pelvienne. Tout déplacement du tronc au-delà des limites imposées par la ceinture provoque une sensation de gêne et inconsciemment la correction de la position du rachis et du tronc.

>> Ils augmentent la pression sur l'abdomen ce qui renforce l'axe vertébro-pelvien et la résistance du dos aux contraintes mécaniques.

>> Ils favorisent l'activité des muscles du tronc. Contrairement à une idée fausse, et sans aucun fondement scientifique, mais, malheureusement pour le dos des Français, très répandue, il n'y a aucun risque de « fonte » musculaire. Une étude que nous avons effectuée sur 480 enregistrements musculaires a montré une augmentation de l'activité musculaire dans 75 % des cas avec le port de la ceinture.

>> Il est également très probable que la ceinture, par les sensations cutanées qu'elle provoque, ait un effet antidouleur à l'instar des dis-

positifs de stimulation cutanée antidouleur. L'action serait alors le « blocage » des voies de la douleur en les remplaçant par des sensations anodines. Le massage et la chaleur par infrarouges auraient les mêmes effets.

QUAND FAUT-IL LES PORTER ?

► Dès que les douleurs surviennent.

► Dans les situations à risque (conduire, jardiner, aider une personne en situation de handicap, se lever d'un lit, repasser...).

► Dans certaines activités professionnelles, son port devrait être continu (conduite d'engin, montée sur un échafaudage, positions assises prolongées, port de charges lourdes).

LES DIFFÉRENTS MODÈLES

Les ceintures lombaires souples

Ce sont des dispositifs amovibles faits d'un tissu (coutil) plus ou moins renforcé par des baleinages et des sangles.

Pour être efficace, une ceinture doit gêner ou limiter les positions et les mouvements « à risque » pour le dos.

Les ceintures lombaires font partie du « prêt-à-porter » du dos facile à se procurer en pharmacie ou auprès de spécialistes de l'appareillage médical. Elles existent en plusieurs tailles et en différentes couleurs. On peut recommander par exemple une ceinture de soutien lombaire de contention « lombacross » (référence sécurité sociale : 201E00.22), taille : de 1 à 6, selon le tour de taille. Il existe une variante renforcée (lombacross activity) avec une hauteur limitée à 21 cm pour éviter, chez certains, la gêne par appui du rebord de la ceinture. Cette ceinture révèle une efficacité supérieure à l'usage du médicament, selon des études récentes, pour les douleurs modérées.

Certaines sont plus confortables et d'autres plus contraignantes, c'est ce qui fait la différence. Les bandes élastiques croisées dans le dos, renforcées par des baleines qui constituent des soutiens en arrière et/ou latéralement sont très efficaces. Certaines ceintures sont équipées d'accessoires pour modifier la zone d'appui, chauffer, ou même masser. Ils peuvent être utiles à certains moments ajoutant des stimulations cutanées antidouleur supplémentaires. Des adaptations sur mesure sont toujours possibles.

Il est important d'adapter les baleinages à la morphologie du dos de la personne qui porte la ceinture, cela se fait aisément à la main.

Un appui dorsal combiné au soutien lombaire avec un système de redressement du dos est très efficace dans les formes sévères de mal de dos (« lombax-dorso »).

La ceinture lombaire (en fait lombo-pelvienne) est prise en charge partiellement, sur prescription, par les caisses de sécurité sociale et certaines mutuelles.

La ceinture a un rôle éducatif car elle incite à limiter les positions nocives en créant une gêne dans leur réalisation. Il faut donc la porter dès le début du mal de dos de façon prolongée et recommencer par périodes pour ne pas perdre les bonnes habitudes. Elle peut être utilisée indéfiniment sans inconvénient. On peut aussi interrompre, à tout moment, son usage, contrairement à un préjugé tenace.

Les corsets ou lombostats

Leur rôle est d'immobiliser rigoureusement le segment lombo-pelvien du dos tout en permettant de continuer les activités habituelles dans la mesure du tolérable.

Ils sont confectionnés en résine modelée directement sur le tronc de la personne et fixent la région lombo-pelvienne tout en permettant une activité sociale et physique normale. Ils sont ouverts en avant ce qui permet de les endosser facilement et de les fixer à l'aide d'auto-agrippants. Prescrits précocement en cas de douleurs intenses ou en l'absence d'évolution rapidement favorable, dès les premières semaines, ils réduisent la souffrance et accélèrent la guérison. Ils doivent être portés de jour (la nuit, leur usage reste exceptionnel) pendant deux semaines à trois mois selon l'évolution ; ils pourront être conservés et être réutilisés en cas de récidive.

Ils peuvent aussi être réalisés en matériaux thermoplastiques très résistants à partir d'un moulage du tronc en plâtre dans les formes qui nécessitent un port prolongé.

Les soins locaux

La chaleur

La chaleur a des effets bénéfiques sur les contractures musculaires et sur la douleur. C'est la chaleur humide qui est utilisée au moyen de douches ou bains chauds ou d'application de « packs » ou de boues chaudes pendant quinze à vingt minutes. Il faut faire attention au risque de brûlures et se protéger la peau par un linge peu épais.

Les lampes à infrarouges

Les lampes à infrarouges ont un effet antalgique probablement dû au blocage des voies de transmission de la douleur.

Les massages

Ils ont acquis une place très importante dans les soins du corps. Bien faits, par un masseur-kinésithérapeute ou par un conjoint doué et patient, ils agissent efficacement contre les contractures musculaires et sur les zones douloureuses. Les plus efficaces sont ceux qui réalisent un étirement musculaire. La balnéothérapie chaude incluant les douches sous-marines et les bains tourbillonnants a un effet identique à ceux du massage. On peut en rapprocher les exercices de « contracté-relâché », véritable automassage musculaire, que nous incluons dans notre programme de rééducation du mal de dos.

L'électrothérapie antalgique de basse fréquence

C'est la transélectroneuralstimulation ou TENS *(transcutaneous electro neuro stimulation)*. L'envoi non douloureux d'impulsions électriques de basse fréquence (80 à 120 cycles par seconde) occupe les voies nerveuses qui véhiculent la douleur et bloque sa transmission. On dispose aujourd'hui d'appareils portables munis d'électrodes qui s'appliquent directement sur la peau et qui peuvent être laissées en place plusieurs heures sans aucun risque, une journée si nécessaire. Ces appareils peuvent être loués ou achetés et bénéficient de prises en charge par les caisses d'assurance maladie et les mutuelles.

La kinésithérapie

Les contractures musculaires ont un rôle important dans la genèse du mal de dos ce qui incite naturellement à demander l'aide d'un kinésithérapeute. Les séances doivent être intégrées dans un programme global de réadaptation en lien avec le médecin prescripteur.

Le massage bien fait contribue à lutter contre la douleur et les contractures, mais l'effet est transitoire. L'essentiel de la rééducation kinésithérapique doit être orienté sur l'éducation à l'usage de son dos selon les principes que nous avons développés (respect des courbures, apprentissage des 7 exercices proprioceptifs). L'usage de la chaleur et des stimulations électriques antidouleur sont des apports utiles du kinésithérapeute. Les nouvelles réglementations de délégation de soins le conduisent à pouvoir conseiller et prescrire les ceintures lombaires.

Son discours positif est très important pour encourager le patient dans la voie de la guérison.

L'ergothérapie

Elle a ici pour objet l'adaptation gestuelle et environnementale pour prevenir les contraintes sur le dos.

Les manipulations

Elles constituent un traitement symptomatique temporaire médicalement codifié dont la pratique doit être réservée à des médecins expérimentés, connaisseurs des autres moyens de traitement du mal de dos et capables d'intégrer leur geste thérapeutique dans une démarche globale vers la guérison. Elles reposent sur l'idée que certains déplacements du dos doivent être remis en place. Elles connaissent actuellement un engouement excessif dans le public et ne sont pas sans risques.

Il ne faut jamais manipuler le cou dans lequel passent les artères du cerveau, l'artère vertébrale en particulier, ce qui peut provoquer immédiatement des accidents neurologiques (paralysies) parfois gravissimes (un cas de mort subite a même été signalé) ou à retardement, quelques années plus tard, sous la forme de rupture de l'artère vertébrale. Ces accidents de manipulation sont totalement imprévisibles. Certaines personnes hyperlaxes (syndrome d'Ehlers-Danlos), c'est-à-dire très souples sont particulièrement exposées à ce type de complications mais ne le savent pas.

Les gestes de manipulation ne sont pas anodins et ne doivent être pratiqués à notre sens que par des médecins bien formés. Ils sont les seuls à pouvoir maîtriser à la fois le diagnostic (sans lequel il n'y a pas de médecine) et l'ensemble des traitements. Douleur du dos ne doit pas devenir synonyme de manipulation vertébrale ou pelvienne. Il faut savoir aussi que la répétition des manipulations crée ou entretient les douleurs et que ce n'est qu'un traitement symptomatique qui ne prévient pas le risque de récidive et donc ne guérit pas, ce n'est pas le « vrai et durable » traitement du mal de dos.

L'ostéopathie

Cette technique a été imaginée par Andrew Taylor Still en 1852 au moment de la conquête de l'Ouest américain.

Les manœuvres ostéopathiques, si l'on exclut les dérives fantaisistes de l'ostéopathie crânienne, peuvent soulager temporairement à l'instar de la kinésithérapie dont elles ne sont, à l'exclusion des manipulations, en fait, qu'une application sous un nom différent. Les contre-indications formelles aux manipulations sont la souffrance des racines du nerf sciatique ou du nerf crural, une suspicion de laxité ou de fragilité vertébrale (ostéoporose, métastase vertébrale d'un cancer…).

Les tractions vertébrales

Il s'agit d'étirer la partie dorso-lombaire de la colonne vertébrale à l'aide d'une table motorisée formée de deux plateaux : sur l'un est sanglé le thorax, sur l'autre le bassin. Les deux plateaux s'écartent et étirent toutes les structures du rachis qui font souffrir. On l'associe à l'application de chaleur locale et, si possible, à un massage. L'effet décontracturant et les modifications de la répartition des contraintes expliquent les résultats favorables obtenus. Leur efficacité relative vient probablement de l'étirement passif des muscles contracturés et des structures ligamentaires d'attaches intervertébrales, elle est amplifiée par l'effet antalgique de la chaleur. Ce n'est qu'un traitement symptomatique insuffisant sans la part éducative.

Le reconditionnement à l'effort

Il fait partie intégrante du programme thérapeutique d'une personne qui a mal au dos.

Tous les sports sont permis, dans la mesure où la douleur les rend tolérables, à la stricte condition d'être pratiqués dans le respect des courbures rachidiennes après échauffement. Aucun n'est à proscrire, même l'équitation très décriée par le corps médical, qui est un excellent exercice proprioceptif. Elle est parfois même à l'origine de guérisons, comme nous l'avons observé.

Un programme de rééducation, le plus souvent sur cycle ergométrique, est particulièrement bénéfique. Certains programmes physiques intensifs, plusieurs heures par jour pendant plusieurs semaines, parfois en hospitalisation, ont commencé à s'implanter, en France, depuis quelques années. La pratique physique est intensive, alternant les exercices de musculation, la pratique du vélo, la natation, les sports d'équipe, etc. La volonté de lutter contre la douleur, de la dominer, « de vivre avec » est en filigrane idéologique dans l'esprit des équipes qui pratiquent cette approche. Nous sommes persuadés que de façon moins contraignante et simple on peut obtenir d'excellents résultats. Notre expérience est que le réentraînement programmé sur cycle ergométrique, sans hospitalisation et sans interruption du travail, avec complément de travail au domicile est tout aussi efficace. Nous utilisons avec succès dans notre service des techniques de rééducation avec des efforts fractionnés intenses mais brefs, de une à trois minutes suivis par des efforts moins intenses de plus longue durée. Cette technique a des effets « défatigants » très rapides. Ces programmes sont efficaces s'ils sont poursuivis au moins une année et, dans l'idéal, de façon indéfinie avec la pratique régulière d'un ou plusieurs sports. Ce réentraînement est couplé avec la pratique de l'école du dos.

Attention aux « médecines » dites « douces »

Elles proposent de nombreux moyens pour soulager le dos. Il est très difficile, surtout lorsque l'on souffre fortement, de choisir avec discernement. Bien souvent, c'est sur les indications d'un ami ou d'un proche que l'on choisit d'essayer, en désespoir de cause, l'une d'entre elles. Certaines de ces pratiques peuvent avoir un lien très lointain avec le mal de dos, d'autres reposent sur des explications simplifiées plus ou moins fantaisistes. C'est le cas du mythe de la « vertèbre qui se déplace ». L'hypermobilité pathologique survient lors d'événements très graves, comme une fracture de la colonne vertébrale ou la localisation vertébrale d'un cancer. C'est dire le danger des manipulations vertébrales dans de tels cas.

La chiropraxie a été imaginée par D.D. Palmer de Davenport, qui a copié les méthodes des frères Still en se faisant passer pour un patient. Il a trouvé un terme moins vide de sens que celui d'ostéopathie. Chiropraxie a des racines grecques, *cheiros*, la main, et *praxis*, le mouvement, et peut se traduire par l'action (thérapeutique) des mains.

Elle implique des mouvements qui ne sont pas toujours adaptés pour le dos.

La kinésiologie est mise à l'index par le récent rapport (2005) de la mission interministérielle sur les sectes.

L'étiopathie issue du reboutisme, imaginée par Christian Trédaniel en 1960 prétend introduire une nouvelle façon de relier la biologie et les états pathologiques.

L'instinctothérapie, imaginée par un kinésithérapeute du sport, se donne pour but de tout guérir en suivant son instinct alimentaire.

Ces techniques ont un contenu doctrinaire surprenant. Elles sont issues des cogitations d'un « maître à penser », toujours décrit comme génial et bienfaiteur de l'humanité, et ne sont pas sans évoquer un processus sectaire.

La chirurgie

Sa place reste actuellement réservée à des formes rebelles aux autres traitements bien conduits avec persistance des manifestations de souffrance d'une ou de plusieurs racines nerveuses. Certaines indications sont encore discutées :

>> un canal vertébral étroit avec des douleurs qui apparaissent notamment à la marche ;

>> une articulation lombo-sacrée très remaniée avec un glissement vertébral important.

Il nous semble que la chirurgie dans le traitement du mal de dos doit rester tout à fait exceptionnelle et devrait évoluer vers sa quasi-disparition.

Certains considèrent même qu'il n'y a plus d'indication à opérer même en cas de paralysie, le port temporaire d'un corset et un traitement anti-inflammatoire intensif permettant d'obtenir un meilleur résultat. La chirurgie apparaît, trop souvent, comme l'ultime recours devant l'échec des autres traitements. Elle est alors proposée à des personnes qui ont longtemps souffert et sont souvent découragées.

En pratique

Une gêne minime

Lorsqu'il existe une tension douloureuse du dos, il est souhaitable de mettre une ceinture lombo-pelvienne et surtout respecter les règles du bon usage du dos. Nous préconisons la pratique du sport et des exercices proprioceptifs.

Une douleur aiguë isolée

Les antidouleur et décontracturants (médications, chaleur) sont indiqués, associés à une limitation transitoire des activités. L'injection locale d'un corticoïde et d'un anesthésique au niveau d'une lésion ligamentaire est indiquée pour un résultat plus rapide et plus complet. En cas de résistance à la douleur après quelques jours, il ne faut pas hésiter à se faire fabriquer un lombostat en fibre de verre.

Des douleurs supportables mais quotidiennes et durables au-delà de trois mois

Ce sont des personnes qui souffrent quotidiennement ou presque de leur dos. Dans beaucoup de cas, elles continuent à avoir une activité mais gardent, en permanence, une sorte de « mémoire de la douleur ». Il est tout à fait possible, mais c'est plus difficile avec le temps, de revenir en arrière, vers un état de non-douleur. Et de guérison.

Là aussi, l'injection locale de corticoïde et d'anesthésique permet d'obtenir des résultats souvent spectaculaires.

Modèle de prescription médicale type kinésithérapie

Je conseille :
douze séances de rééducation du dos et des membres inférieurs deux fois par semaine par un kinésithérapeute avec le programme suivant :
1. application de chaleur et massages des muscles contracturés ;
2. postures et étirements des muscles ischio-jambiers ;
3. exercices isométriques des muscles trapèzes et des fixateurs des omoplates et des paravertébraux (quadrupédie) à visée proprioceptive ;
renforcement des muscles quadriceps et moyens fessiers ;
renforcement des muscles transverses de l'abdomen ;
4. apprentissage d'un programme d'exercices très simples (type hôpital Henri-Mondor) à faire régulièrement ;
5. réglage de la ceinture lombaire ;
6. apprentissage des positions correctes du dos assis, debout, couché, lors des changements de position et dans les activités de la vie quotidienne.

Modèle de prescription médicale type ergothérapie

Je conseille :
six séances de rééducation et réadaptation par un ergothérapeute une ou deux fois par semaine : apprentissage des positions du dos préventives des contraintes excessives dans tous les actes de la vie quotidienne, de loisirs et professionnelle (manipulation d'objets, ordinateur). Une ou plusieurs de ces séances, dans la mesure du possible au domicile et/ou sur le lieu de travail.

Les douleurs intermittentes

Elles sont caractérisées par des périodes de douleurs, de durée variable (de quelques jours à quelques mois), séparées par des intervalles d'accalmie. Elles sont les plus fréquentes. Après un mal de dos, la récidive est toujours possible, une fois sur quatre dans l'année qui suit, c'est dire l'intérêt de « briser » ce rythme de récidive par une bonne prévention.

Les séances chez le kinésithérapeute sont recommandées.

Les formes intenses très invalidantes

Elles sont responsables d'une limitation partielle des activités fonctionnelles.

Le traitement associe un antalgique et éventuellement un anti-inflammatoire et un myorelaxant. L'injection de corticoïdes, deux injections à dix jours d'intervalle, dans des ligaments douloureux sont assez efficaces.

L'immobilisation par ceinture, voire lombostat, est vivement recommandée.

Certaines formes très douloureuses peuvent bénéficier de prescriptions de séances de massages antalgiques. Il faut cependant éviter les séances répétées, étirées sur des mois, voire des années, qui ne font qu'entretenir la personne dans l'idée que son dos est fragile et qui transforment un état de « mal-aise » (René Dubos) en état de maladie avec dépendances thérapeutiques et situations de handicap.

Les dix commandements
pour ne pas ou ne plus avoir mal au dos

1. De la hernie discale point ne te soucieras.
2. De l'arthrose du dos, jamais peur tu n'auras.
3. Au travail, de t'arrêter, tu éviteras.
4. Le sport et l'activité physique, toujours tu aimeras.
5. Dans chaque geste de ta vie de tous les jours et au travail, pour ton dos, la position moyenne de protection du dos, tu adopteras.
6. Du dossier des chaises, tu te méfieras.
7. Un bon matelas et un bon oreiller, tu auras.
8. Chaque fois que tu en auras besoin, la ceinture lombaire, sans crainte, tu utiliseras.
9. Chaque jour, tes muscles de cuisse, tu étireras.
10. Les sept exercices de l'école du dos, tous les jours tu honoreras.

Conclusion

Le dialogue avec votre médecin est une nécessité. Il allie une bonne écoute de part et d'autre et votre participation positive. Vous localisez vos douleurs et l'examen clinique ne doit pas se faire au détriment d'une imagerie souvent trompeuse, inquiétante et presque toujours inutile.

Votre médecin vous apprend aussi à être votre propre thérapeute et à vous autonomiser vis-à-vis du système de soins.

Il est nécessaire de sortir du discours médical fataliste. La médecine physique et de réadaptation convient parfaitement à cette nouvelle approche. Elle doit aboutir à la réduction des interventions chirurgicales, des imageries inutiles et des médications, à une réduction des coûts sociaux notamment sur le retentissement dans le travail. Elle permet une amélioration de la qualité de la vie et du plaisir de vivre au prix de l'application de quelques principes simples de bon sens et faciles à réaliser.

Glossaire

Abdominaux, muscles

Ce sont les muscles qui constituent la paroi de l'abdomen. Les muscles transverses en se contractant limitent les contraintes subies dans le bas du dos, la partie la plus mobile. Les muscles droits et obliques ne jouent pas de rôle dans la prévention du mal de dos, mais ils contribuent à maintenir un ventre plat et esthétique.

Aide technique

Ce terme désigne les aides matérialisées qui compensent une perte de capacités (aides techniques fonctionnelles) ou qui permettent un ajustement particulier d'une situation qui, sans cela, serait handicapante (aides techniques situationnelles). La ceinture lombaire est une aide technique fonctionnelle, un siège à hauteur variable pour utiliser un ordinateur peut être considéré comme une aide technique situationnelle, de même qu'un fauteuil assis-debout.

Antidouleur

Ce sont les médications qui calment la douleur. Leur utilisation obéit à des règles précises. Le mal de dos, du fait de son intensité mais aussi d'un laxisme face à la prescription médicale, conduit trop souvent à utiliser les médications les plus puissantes qui ne sont pas dénuées d'effets secondaires et qui constituent, par eux-mêmes, une deuxième maladie.

Algie

Ce mot issu du grec *algos* veut dire douleur. Il entre dans la composition de dosalgie, lombalgie, cervicalgie, sciatalgie, cruralgie...

Anneau fibreux discal (*annulus fibrosus*)

C'est un anneau fibreux qui réunit les corps vertébraux entre eux formant une articulation à l'intérieur de laquelle se trouve un liquide visqueux dénommé aussi *nucleus pulposus.* On a fait jouer un rôle très important dans le déclenchement des douleurs du dos, accompagnées ou non de douleurs des membres inférieurs à l'issue de ce liquide à travers une fissure de l'anneau discal. C'est la tristement célèbre hernie discale qui inquiète car elle semble être un danger permanent menaçant les racines nerveuses avoisinantes, celles du sciatique ou du nerf crural par exemple. Son rôle dans le mal de dos a été très exagéré et on ne doit plus la regarder comme la cause principale du mal de dos. Au lieu de hernies, ce sont plus souvent des réactions œdémateuses, gonflement par présence d'eau dans les tissus de l'*annulus,* que l'on observe avec l'imagerie moderne. Elles régressent sans chirurgie, même en cas de souffrance nerveuse avec ou sans paralysie, par un traitement anti-inflammatoire intensif bien conduit associé à une immobilisation stricte par corset du segment lombaire concerné.

Antalgique

Antidouleur.

Apophyse épineuse

Saillie postérieure des vertèbres que l'on palpe facilement sous la peau au milieu du dos. Les apophyses épineuses sont réunies par des ligaments interépineux qui sont souvent le siège de douleurs du dos.

Arthrose vertébrale (cervicale, dorsale, lombaire)

Les remaniements osseux observés sur les radiographies et autres images médicales sont, de façon excessive qualifiés d'arthrose dans les comptes rendus des radiologues. Cela donne la sensation au patient (et parfois au médecin ou au kinésithérapeute) qu'il s'agit d'un état pathologique alors que l'on observe de telles images aussi bien sur les radiographies de personnes qui se plaignent de leur dos que chez celles qui ne s'en souffrent jamais. Au-delà de banales images témoins de l'âge de la personne, on peut être en présence de remaniements arthrosiques plus importants qui, dans notre expérience, ne sont pas incompatibles avec une vie sans mal de dos.

Articulaires postérieures

Ce sont deux articulations placées à l'arrière de la colonne vertébrale qui empêchent les vertèbres de glisser les unes sur les autres, leurs très faibles amplitudes articulaires font que les vertèbres ne « se déplacent » pas contrairement à une populaire très répandue qui inquiète à tort. Il n'y a donc pas lieu de les *remettre en place* par une manœuvre quelconque. L'efficacité des manipulations et tractions s'explique par un autre mécanisme.

Autonomie

Le mot vient du mot grec, *otos nomein,* « agir selon ses propres lois ». C'est la possibilité pour une personne de réaliser une activité humaine personnelle ou publique et d'en décider librement. Cette réalisation ne peut, dans certains cas, se faire qu'au prix de la compensation par une aide technique, animale ou humaine, qui permet l'autonomie. Elle implique aussi, de la part de la personne en situation de handicap, une démarche subjective positive.

Bascule du bassin

Position qui consiste à mettre le bassin en avant. Elle est volontiers utilisée en rééducation et sollicite la proprioception. L'équitation apparaît comme un excellent moyen de solliciter la bascule du bassin.

Bec-de-perroquet

Aspect radiologique insolite rappelant le bec crochu du volatile rencontré dans les images d'arthrose, qui inquiète bien inutilement.

Biomécanique

Il s'agit des effets de la mécanique appliquée au vivant, ici le corps humain et, plus particulièrement, le dos. On parlera de biomécanique du dos.

Bras de levier

L'effet de bras de levier est une notion mécanique qui explique que plus la distance entre le point d'application d'une force est importante plus l'effort nécessaire pour l'exercer sera diminué. C'est ainsi que si l'on porte une charge loin de son corps, son *poids* sera multiplié par un facteur qui augmente avec la distance. Il faut donc porter contre soi ou près de soi pour soulager les contraintes du dos.

Ceinture lombaire (ou mieux : lombo-abdomino-pelvienne)

C'est une contention souple appliquée sur la région lombaire, le bassin et l'abdomen et fermée à l'aide de Velcro le plus souvent. Il en existe maintenant un grand nombre en « prêt-à-porter » qui sont disponibles sur prescription en pharmacie et auprès de spécialistes de l'appareillage. Certaines très élégantes ont été élaborées avec la collaboration du monde de la couture. Elles constituent l'un des moyens les plus efficaces de prévention et de traitement du mal de dos. Elles ne présentent aucun risque de provoquer un affaiblissement musculaire contrairement à une idée reçue tenace (y compris chez les professionnels de santé, ce qui est paradoxal) et totalement erronée qu'il faut absolument contrer. Au contraire, tout porte à penser qu'elles facilitent le jeu musculaire du dos. Elles peuvent être retirées dès que l'on en a plus l'usage sans risque d'addiction. Elles jouent un rôle rééducatif important en donnant l'habitude d'effectuer le mouvement correct pour protéger le dos. Elles devraient être plus systématiquement utilisées, à l'instar du casque et des chaussures de chantier, dans des professions exposées (personnel de sociétés d'entretien, aides maternelles, aides soignantes, etc.).

Cervical

Au niveau du cou. Exemple : rachis cervical.

Cervicalgie

Douleur du cou qui est le plus souvent d'origine musculaire plutôt que vertébrale contrairement à une croyance populaire.

Cervicarthrose

Arthrose de la colonne cervicale. C'est banal et ce n'est pas nécessairement la cause de douleurs, loin de là !

Chaleur

La chaleur sous forme de douche ou de bain chauds, l'application de poches souples pendant quinze à vingt minutes ont un effet décontracturant et donc antalgique. Les rayons infrarouges contribuent à calmer la douleur mais probablement en bloquant les voies de la douleur.

Chronique

Ce terme vient de *chronos* en grec qui signifie le temps. Il indique que les phénomènes pathologiques durent dans le temps. C'est très artificiellement que l'on considère qu'un mal de dos est chronique (trois mois pour les uns, six mois pour les autres). Cela donne la sensation au patient (et au médecin) que le stade de guérison est dépassé, ce qui est faux. Le terme doit donc être abandonné au profit de durable ou prolongé. De cette façon on évite une stigmatisation qui nuit au patient. Il faut donc remplacer *lombalgie chronique* par *mal dos durable ou prolongé.*

Collier cervical

C'est un appareil (orthèse) qui permet d'éviter les mouvements douloureux du cou et lui assure, selon les modèles, une décharge relative.

Contracture

Contraction musculaire douloureuse permanente.

Cryothérapie

Traitement par le froid qui a des effets antalgiques sur les douleurs ligamentaires ou d'insertions musculaires. Il est relativement peu utilisable dans le mal de dos.

Courbures rachidiennes ou vertébrales

Ce sont les quatre courbures dans un plan sagittal : lordose cervicale concave en arrière, cyphose dorsale concave en avant, lordose lombaire concave en arrière et lordose sacrée. Elles assurent à la colonne vertébrale et à l'ensemble du dos une répartition économique des contraintes de la tête au coccyx.

Coup du lapin

Ce terme désigne les mouvements antéropostérieurs brusques subis par la colonne cervicale à l'occasion d'un choc arrière en automobile. La dramatisation est souvent accrue par le diagnostic abusif d'*entorse cervicale*, générateur d'une inquiétude qui n'est pas faite pour contribuer à l'amélioration des douleurs souvent intenses mais curables qui peuvent accompagner ce traumatisme cervical d'un type particulier. L'appui-tête bien réglé est la meilleure prévention.

Corset

C'est une orthèse rigide qui immobilise une partie plus ou moins importante du dos. Le plus utilisé dans le mal de dos est le lombostat qui est réalisé en fibre de verre. Il devrait être utilisé précocement lorsqu'un mal de dos ne cède pas rapidement aux traitements médicamenteux simples.

Crural, nerf

C'est un nerf moteur et sensitif de la cuisse dont les racines nerveuses sont L3 et L4.

Cruralgie

Dans le langage médical ce terme désigne une irradiation douloureuse dans le territoire des racines du nerf qui innerve la face antérieure de la cuisse.

Cyphose dorsale

C'est une courbure concave en avant de la colonne vertébrale normale. Elle est physiologique dans certaines limites, elle est pathologique si elle est lombaire, on parle d'inversion de courbure. Elle est plus ou moins marquée selon les individus. Son accentuation peut revêtir un caractère pathologique et entraîner des douleurs. C'est le cas chez l'adolescent, lequel au moment de sa croissance développe une cyphose douloureuse, qui associée à des images de hernies intraspongieuses fait poser le diagnostic de maladie de Sheuerman. Il existe des corsets anticyphose.

Cyphotique

Déformation en cyphose. Ex : attitude cyphotique.

Déconditionnement à l'effort

Voir désadaptation à l'effort.

Dépendance

C'est l'apport matériel (aide technique ou médicamenteuse), animal (aide animale) ou humain (aide humaine, partielle ou totale) qui permet de compenser la limitation d'une capacité fonctionnelle ou la situation de handicap (microsituation ou macrosituation) dans laquelle une personne peut se trouver. La dépendance ne doit pas être perçue négativement puisqu'elle permet d'accéder à l'autonomie. « Il n'y a pas d'autonomie sans dépendance » (Edgar Morin).

Désadaptation à l'effort

Cette expression désigne un état fonctionnel qui s'accompagne d'une fatigabilité physique importante et handicapante mais aussi plus globale avec participation du psychisme. Dans le mal de dos, il conviendrait mieux de parler de déconditionnement à l'effort car il n'y a pas de véritable désadaptation physiologique comme cela a été démontré. Quoi qu'il en soit la rééducation à l'effort par l'effort est une méthode efficace dans le mal de dos et elle doit être développée.

Discal

Qui vient du disque. Par exemple : hernie discale, pincement discal.

Disque intervertébral

Ensemble formé d'un anneau fibreux et d'un noyau gélatineux qui assurent l'articulation entre deux corps vertébraux.

Discopathie

Pathologie du disque intervertébral. Tout remaniement de l'image des disques n'est pas pathologique loin de là ! Il est fait un grand abus dans les descriptions radiologiques de cette terminologie qui induit l'idée fausse que le disque est malade.

Discarthrose

Terme de radiologie décrivant des remaniements osseux autour du disque. Son rôle dans le mal de dos est très contesté.

Discectomie

Ablation chirurgicale d'un disque intervertébral.

Dorsal

Ce qui est relatif à la colonne vertébrale et comprend les douze vertèbres sur lesquelles s'attachent les côtes.

Dorsalgie

Douleur localisée au niveau de la colonne vertébrale dorsale.

Dosalgie

Mal de dos.

École du dos

Méthode de prévention du mal de dos et de réadaptation des dosalgiques.

Ergonomie

Ensemble des méthodes qui permettent la meilleure adéquation entre l'homme et ses activités au travail, dans la vie quotidienne et dans ses loisirs.

Ergothérapeute

Professionnel de santé qui est un acteur incontournable de la réadaptation des personnes en situation de handicap, car il fait le lien entre les capacités fonctionnelles de la personne et son environnement physique et humain.

Ergothérapie

Méthode de rééducation et de réadaptation qui a pour particularité de prendre en compte simultanément la limitation fonctionnelle et ses conséquences situationnelles. À ce titre, l'ergothérapie est bien une méthode de rééducation en situation et de réadaption.

Étiopathie

C'est une forme fantaisiste de médecine qui dérive, comme la kinésiologie, de la chiropraxie. Elle prétend « rétablir la place et les fonctions des organes dont la dysharmonie structurale est à l'origine des maladies ».

Étirement

Méthode de rééducation très utilisée en kinésithérapie qui a un effet antalgique et décontracturant par étirement musculaire.

Fente

C'est un mouvement des membres inférieurs (également utilisé par les escrimeurs) qui permet de déplacer le tronc tout en maintenant ses courbures. Il peut s'agir de fente arrière, de fente avant ou de fente latérale.

Gymnastique vertébrale

Ce terme n'est plus guère utilisé en rééducation. Il pourrait s'appliquer à la gymnastique du dos que l'on apprend chez les kinésithérapeutes. Elle ne doit pas viser le renforcement musculaire mais la proprioception du dos.

Handicap

Une situation de handicap est, pour une personne, le fait de se trouver, de façon transitoire ou durable limitée dans ses activités personnelles ou restreinte dans sa participation à la vie sociale. Cette situation résulte de la confrontation entre d'une part ses fonctions physiques, sensorielles, mentales et psychiques en cas d'altération de l'une ou plusieurs d'entre elles et, d'autre part, les contraintes de son cadre de vie.

Handitest

Méthode d'évaluation du handicap mise au point par le Groupe international de recherche interdisciplinaire du handicap (GIRIH).

Hernie discale

C'est une brèche par fissuration de l'anneau fibreux qui solidarise les corps vertébraux entre eux. Elle peut menacer ou non les racines nerveuses avoisinantes. Ce cas reste très rare (une sciatique sur cent cas de mal de dos). La réalité même de la « hernie » est contestée et l'hypothèse de bulles d'œdème d'un disque traumatisé est retenue par certains (Chevrot). La radiographie retrouve souvent des modifications des disques qui n'ont aucune signification pathologique et ne doivent pas inquiéter.

Iatrogène

Du mot grec *iatros* qui signifie médecin, c'est ce qui vient du médecin. Ce terme, initialement consacré surtout aux accidents liés aux traitements médicamenteux convient à certaines attitudes médicales et paramédicales face au mal de dos, qui aggravent avec un discours alarmiste la perception des symptômes par ceux qui souffrent du dos.

Iatrogénie
Effets indésirables provoqués par les traitements ou les attitudes médicales et paramédicales.

Ilio-lombaires, ligaments
Ce sont des ligaments qui relient la colonne vertébrale et le bassin. Ils sont très souvent le siège de douleurs.

Inclusion
Nouveau terme introduit par les milieux européens du handicap pour désigner, par opposition à l'exclusion, l'insertion ou l'intégration sociale.

Ischio-jambiers
Ensemble de muscles de la cuisse qui s'attachent sur l'ischion, l'os sur lequel nous nous asseyons, et sur la jambe. Ils sont souvent rétractés (raccourcis) à cause de notre mode de vie assis. Cela favorise l'apparition de douleurs. Leurs insertions sont souvent aussi douloureuses et prises à tort pour des sciatiques.

Interépineux, ligaments
Ce sont les ligaments situés sur la ligne médiane du dos entre les apophyses épineuses des vertèbres. Ils sont souvent le siège de douleurs aux différents étages de la colonne vertébrale.

Intervertébrales, articulations
Ce sont les trois articulations qui relient les vertèbres entre elles. En avant l'articulation intersomatique par l'intermédiaire du disque intervertébral, en arrière, les deux articulations intervertébrales postérieures.

Kinésiologie
C'est l'un des nombreux dérivés de la chiropraxie-ostéopathie, qui repose sur une relation entre la mesure de la force musculaire et l'état psychique. Cette pratique douteuse doit être absolument évitée par ceux qui ont mal au dos et ne doit pas être confondue avec la kinésithérapie.

Kinésithérapie (ou physiothérapie dans d'autres pays francophones)
Ensemble de moyens thérapeutiques utilisant des méthodes actives (mouvements, exercices) ou passives (massages, mobilisations) des-

tinées à améliorer l'état fonctionnel d'une personne ou à prévenir son altération.

Kinésithérapeute

Professionnel de la rééducation exerçant la kinésithérapie.

Lombaire

Qui est en rapport avec la région basse du rachis qui comporte cinq vertèbres.

Lombalgie

Douleur lombaire. Ce terme est abusivement utilisé pour désigner des douleurs du dos qui ne sont pas localisées strictement à la région lombaire.

Lumbago

Douleur aiguë du bas du dos.

Lombarthrose

Arthrose de la région lombaire.

Lombostat

Corset rigide immobilisant la région lombaire. Il est très efficace contre la douleur aiguë ou rebelle et sans risque pour la musculature.

Mal de dos

Ce sont les douleurs localisées entre le bord supérieur des épaules, en haut, et le pli des fesses, en bas. Elles peuvent s'étendre jusqu'aux genoux, sans qu'il s'agisse nécessairement d'une souffrance du nerf sciatique ou du nerf crural.

Manipulation vertébrale

« La manipulation est un mouvement forcé, appliqué directement ou indirectement sur une articulation ou un ensemble d'articulations, qui porte brusquement les éléments articulaires au-delà de leur jeu physiologique habituel, sans dépasser la limite qu'impose à leur mouvement l'anatomie. C'est une impulsion brève, sèche et unique. Ce mouvement s'accompagne en général d'un bruit de craquement » (Robert Maigne).

Massages

Ensemble de méthodes manuelles ou instrumentales agissant sur les tissus mous pour en modifier l'état de vascularisation, les étirer ou stimuler les fibres musculaires ou encore les récepteurs sensitifs pour limiter la transmission de la douleur. Ils ont leur place dans le traitement du mal de dos à titre symptomatique.

Médecine de rééducation

Voir Médecine physique et de réadaptation.

Médecines douces

Terminologie largement utilisée pour désigner un ensemble de pratiques qui se veulent différentes de la médecine officielle et qui sont loin, pour certaines d'être sans danger. Une bonne médecine se doit d'être également douce et respectueuse de ses usagers.

Médecine physique et de réadaptation

La médecine physique et de réadaptation (MPR) a pour objectifs de mettre en œuvre et de coordonner toutes les mesures visant à prévenir, ou à réduire au minimum inévitable, les conséquences fonctionnelles, subjectives, sociales et, donc, économiques d'atteintes corporelles par maladie, accident ou du fait de l'âge.

Mésothérapie

Méthode de traitement des douleurs utilisant des micro-injections localisées.

Mézière (méthode)

Méthode de traitement des maux de dos fondée sur un rééquilibrage des tensions musculaires de la colonne vertébrale. Cette technique a ses adeptes.

MPR

Voir Médecine physique et de réadaptation.

Noyau discal

C'est le *nucleus pulposus.*

Nucléolyse

Technique de dissolution du disque par injection locale d'un produit. Ces techniques qui ont eu leurs adeptes sont moins utilisées aujourd'hui dans la mesure où l'on fait de moins en moins jouer un rôle au disque intervertébral dans le mécanisme du mal de dos.

Nucleus pulposus

Liquide qui se trouve à l'intérieur de l'anneau discal entre les corps vertébraux.

Omoplate

Os fixé sur le thorax par les seuls muscles. Il est le point d'ancrage du membre supérieur. Bien des douleurs du dos ont pour origine une souffrance de ces muscles.

Orthèse

Nom générique donné à tous les appareillages au contact du corps de la personne qui ne sont pas là pour remplacer un organe absent (prothèse). Les lombostats, les ceintures lombaires, les colliers cervicaux sont des orthèses.

Orthopédie

Étymologiquement : « mettre les enfants droits » (du grec *orthos* droit et *paidos* l'enfant). Le terme désigne l'ensemble des méthodes médicales (incluant l'appareillage orthopédique) et chirurgicales qui s'adressent aux atteintes de l'appareil locomoteur dont le mal de dos.

Orthopédique

Ce qui est en relation avec l'orthopédie. Exemple : chirurgie orthopédique ou appareillage orthopédique.

Ostéopathie

Selon l'étymologie et la terminologie rhumatologique : maladie des os. Le mot a été choisi par Andrew Taylor Still en 1852, à Baldwin, aux États-Unis, au moment de la conquête de l'Ouest pour désigner une façon de traiter les maladies et les états de mal-être (dont fait partie le mal de dos) sans aucun fondement scientifique. Elle s'inspire du reboutisme traditionnel universel et introduit une théorisation d'allure philosophique (nous sommes dans ce que les Américains appellent la *Bible Belt*), dont une partie est empruntée aux idées maçonniques qui étaient très en vogue dans cette zone frontière entre le Missouri, foyer maçonnique américain très actif et les territoires indiens dans lesquels les nouveaux porteurs de la civilisation s'engageaient sur leurs chariots bâchés. Il a été plagié par D.D. Palmer, épicier magnétiseur de Davenport, qui a développé la chiropraxie. Venue tardivement en Europe, ce type de pratiques connaît un développement anarchique avec applications inquiétantes aux os du crâne et des sous-ensembles aux idéologies douteuses : étiopathie, kinésiologie, instinctothérapie, etc. Cette situation s'explique par la naïveté et la crédulité des patients et par la situation souvent chronique du mal de dos.

Ostéoporose

Diminution de la densité osseuse. Elle augmente avec l'âge, elle peut devenir pathologique et entraîner des tassements vertébraux qui jouent un rôle dans le mal de dos.

Pelvialgies

Douleurs de la région pelvienne, c'est-à-dire du bassin.

Pelvis

Dénomination anatomique du bassin. Il joue un grand rôle dans le mal de dos et bon nombre de douleurs faussement étiquetées *lombalgies* sont en fait des pelvialgies. Il faut dire qu'il n'est pas facile de se représenter la localisation de cette région de son corps qu'on ne voit pas.

Pelvien

Ce qui est rattaché au pelvis. Exemple : douleurs pelviennes.

Pelvi-trochantériens (muscles)

Ce sont des muscles qui relient le bassin et le haut du fémur (trochanter).

Planche de transfert

C'est une planche ou une pièce de plastique qui se place au-dessus de la baignoire. Elle permet de se doucher dans une position antalgique.

Position moyenne de Troisier

C'est une position de référence dans laquelle les courbures du dos sont telles que les contraintes sont réduites à leur minimum. Troisier, un des pionniers de la médecine physique et de réadaptation qui a beaucoup travaillé sur la question du dos et nous a inspirés pour nos écoles du dos.

Posture

C'est le maintien d'une ou de plusieurs articulations dans une position donnée pour essayer d'augmenter la mobilité articulaire.

Proprioceptif

Cet adjectif indique les sensations qui se produisent lors des mouvements d'une partie du corps. La proprioception permet de guider harmonieusement les mouvements.

Proprioceptivité

C'est la perception de sensations au niveau des organes qui permettent de localiser sa position, d'apprécier les déplacements (vitesse, angulations articulaires, etc.).

Psychomotricien

Cette discipline paramédicale de la rééducation et de la réadaptation favorise l'adaptation motrice, sociale, affective et cognitive du comportement de la personne. Son approche a un caractère pédagogique : développement psychomoteur, apprentissages, scolaire moteur ou psychomoteur.

Psychosomatique

Ce terme désigne les interactions entre les souffrances du corps et celles de la personne dans son intimité psychique. Ce facteur est très important en matière de mal de dos.

Pulposus

C'est la partie centrale du disque sur laquelle repose les deux disques intervertébraux. Elle est menacée d'exclusion par l'anneau *(annulus)* fibreux qui l'entoure dans la hernie discale.

Quadriplégie

Déficit musculaire plus ou moins complet des quatre membres. Cet état peut compliquer une manipulation cervicale.

Quadrupédie

Être à quatre pattes. Certains exercices bénéfiques pour le dos sont prescrits dans cette position.

Racines nerveuses

Elles sont ainsi dénommées car les fondateurs de l'anatomie en suivant les trajets des nerfs sont remontés jusqu'à ces portions de nerfs qui étaient profondément enracinées au fond de la région du rachis. Elles sont à l'origine des plexus nerveux qui, eux-mêmes forment les nerfs, L5 et S1 pour le tronc du nerf sciatique, L3 et L4 pour le tronc du nerf crural.

Radiculaire

Qui est en rapport avec une racine nerveuse, on dit par exemple, une douleur radiculaire.

Radiculalgie

Douleur dans le territoire d'innervation sensitive d'une racine (L3, L4 : cruralgie, L5, S1 : sciatalgie).

Rachis

Dénomination anatomique de la colonne vertébrale.

Rachialgie

Douleurs du rachis ou douleurs vertébrales.

Rachimétrie

Méthode de mesure des caractéristiques anatomiques de la colonne vertébrale.

Rachidien

Qui est en rapport avec le rachis, par exemple, le syndrome rachidien.

Rééducation

Ce terme regroupe tous les moyens médicaux et paramédicaux appliqués à la rééducation du dos principalement centrée sur le réentraînement à l'exercice et à la capacité de réaliser des efforts importants. Il est parfois assimilé, à tort, à la seule kinésithérapie.

Réadaptation

C'est l'ensemble des moyens médicaux, psychologiques et sociaux qui permettent à une personne en situation de handicap, ou menacée de l'être, du fait d'une ou de plusieurs limitations fonctionnelles de mener une existence aussi autonome que possible.

Réadaptation à l'effort
Application des méthodes de rééducation et de réadaptation au cours de l'effort. Elle est primordiale pour les personnes avec un mal de dos. On parle aussi de reconditionnement à l'effort.

Relaxation
Ensemble de méthodes permettant de lutter contre les tensions psychiques et physiques, les contractures. Elle est très utile dans le mal de dos car elle permet si elle est bien faite de retrouver une meilleure sensation de son dos et de ses membres inférieurs.

Réentraînement à l'effort
Voir réadaptation à l'effort.

Reins
C'est le terme populaire pour désigner le bas du dos.

Rétraction
Raccourcissement de la longueur d'un muscle.

Sacrum
Il est constitué des cinq dernières vertèbres de la colonne vertébrale. Elles sont soudées entre elles et reliées au bassin par l'articulation sacro-iliaque. Les insertions des ligaments peuvent être douloureuses. Le nom de cet os lui vient des sacrifices antiques. C'est la pièce de l'animal sacrifié que l'on offrait aux dieux.

Sacro-iliaque
Articulation entre le sacrum et l'os principal du bassin. Elle est assez souvent le siège de douleurs du dos.

Sciatique, nerf
Nerf principal de la jambe dont les racines se situent au niveau L5 et S1.

Sciatalgie
Douleur dans le territoire du nerf sciatique qui peut aller du bas du dos, en passant par la face postérieure de la cuisse jusqu'aux orteils.

Scoliose

Déformation fixe (par opposition à l'attitude scoliotique) de la colonne vertébrale. Elle n'entraîne pas, contrairement à une idée reçue, de douleurs dans la plupart des cas.

Sexualité et mal de dos

Les douleurs peuvent limiter l'activité sexuelle mais elles n'entraînent aucun dysfonctionnement particulier.

Sport et mal de dos

Aucun sport n'est contre-indiqué en cas de mal de dos s'il est correctement pratiqué.

Stretching

Ces techniques d'étirement sont très efficaces pour soulager les douleurs surtout si elles sont d'origine musculaire.

Trochanter

Saillie osseuse située au bord externe de la hanche à l'extrémité supérieure du fémur sur laquelle se situent les insertions de plusieurs muscles qui peuvent être douloureuses.

Traction vertébrale (traction lombaire, traction cervicale)

C'est une technique très ancienne qui consiste à tirer sur la colonne vertébrale dans son axe pour soulager les douleurs du dos. Elles sont moins utilisées depuis quelques décennies.

Transverse de l'abdomen (muscle)

C'est le muscle principal en matière de mal de dos puisque sa contraction permet de verrouiller et de protéger la zone exposée aux contraintes.

Verrouillage lombo-pelvien

La contraction forte des muscles transverses de l'abdomen crée des conditions mécaniques de soutien et d'atténuation des contraintes du bas du dos.

Remerciements

Au professeur André Grossiord, créateur et pionnier souriant de notre spécialité de médecine physique et de réadaptation, initiateur de la prévention du mal de dos auprès des cheminots de la SNCF.

Aux docteurs Olivier Troisier et Jean-Pierre Rabourdin, qui nous ont inspirés initialement lors de la mise en place des premières écoles du dos au CHU de Tixeraïne, à d'Alger, en 1975.

Au professeur Patrice Queneau et au docteur Yolaine Raffray pour leurs conseils éclairés sur l'usage des médicaments de la douleur.

À toutes les personnes qui, souffrant du dos, ont participé aux écoles du dos. Elles m'ont permis d'appliquer cette phrase de Giorgio Baglivi (1668-1707) à propos de la formation des médecins : « Que les jeunes sachent qu'ils ne trouveront jamais un ouvrage plus documenté et plus instructif que le malade lui-même. » Ce livre est le leur.

À madame Sylvie Grimme, toujours patiente et efficace, qui m'a aidé, au fil des jours, à mettre ce manuscrit en forme.

DANS LA COLLECTION « POCHES PRATIQUE »

N° 1 : Dr Henri-Jean Aubin, Dr Patrick Dupont, Pr Gilbert Lagrue, *Comment arrêter de fumer ?*
N° 2 : Dr Serge Renaud, *Le Régime crétois : incroyable protecteur de notre santé*
N° 3 : Dr Dominique Petithory, *La Diététique de la longévité*
N° 4 : Dr Anne de Kervasdoué, *Les Troubles des règles*
N° 5 : Dr Philippe Brenot, Dr Suzanne Képes, *Relaxation et Sexualité*
N° 6 : Dr Jean-Philippe Zermati, *Maigrir sans régime*
N° 7 : Dominique Laty, Dr Jean-Bernard Mallet, *Le Régime des pâtes*
N° 8 : Dr Martine Ohresser, *Bourdonnements et sifflements d'oreille*
N° 9 : Dr Bernard Fleury, Dr Chantal Hausser-Hauw, Marie-Frédérique Bacqué, *Comment ne plus ronfler*
N° 10 : Dr Denis Vincent, Dr Lucile Bensignor-Clavel, *Rhume des foins et allergies*
N° 11 : Dr Vincent Boggio, *Que faire ? Mon enfant est trop gros*
N° 12 : Dr Gégard Apfeldorfer, *Maigrir, c'est fou !*
N° 13 : Dr Thierry Vincent, *L'Anorexie*
N° 14 : Pr Pierre Duroux, Pr Michel de Boucaud, Marie-Dominique Le Borgne, *Mieux vivre avec l'asthme*
N° 15 : Dr Éric Albert, *Comment devenir un bon stressé*
N° 16 : Dr Bernard Duplan, Dr Marc Marty, *Bien soigner le mal de dos*
N° 17 : Pr Gérard Slama, *Mieux vivre avec un diabète*
N° 18 : Didier Pleux, *Manuel d'éducation à l'usage des parents d'aujourd'hui*
N° 19 : Stephen et Marianne Garber, Robyn Spizman, *Les Peurs de votre enfant*
N° 20 : Dr Patrick Gepner, *L'Ostéoporose*
N° 21 : Dr Dominique Barbier, *La Dépression*
N° 22 : Dr Henri Rozenbaum, *La Ménopause heureuse*
N° 23 : Dr Jacques Fricker, *Maigrir vite et bien*
N° 24 : Dr Claude Hamonet, *Prévenir et guérir le mal de dos*

Ouvrage publié sous la responsabilité
éditoriale de Caroline Chaine

Cet ouvrage a été mise en pages
par NORD COMPO à Villeneuve-d'Ascq

Imprimé en France sur Presse Offset par

La Flèche (Sarthe), le 01-10-2007

Dépôt légal : octobre 2007
N° d'édition : 7381-2020-X
N° d'impression : 43662

Imprimé en France